裸婚

介末/著

北方妇女儿童出版社

目 录

自 序 2

第一章 结婚六年 11

预感 .... 12 / 纪念日 .... 16 / 同床异梦 22

夫妻如乱伦 .... 30 / 美女符号 37

装修猛于外遇 .... 41 / 脱衣舞 .... 47 / 两两相忘 52

目 录

第二章　**七年之痒** 57

黑色幽默 .... 58 ／ **陌路** .... 74 ／ **与前夫同居** 83

幻灭 .... 95 ／ **策反** .... 111 ／ **爱伤** 122

负心 .... 143 ／ **惜败** 181

目 录

第三章　单身时代 ················· 195

任逍遥 ··············· 196　　／　　**从秦香莲到潘金莲** ··············· 214

人尽可夫 ··············· 217　　／　　**择偶** ··············· 232　　／　　**大团圆** ··············· 244

后　记 ··············· 258

自序

大概三年前，我在新浪以"介末开门"之名开博，连载自己的婚姻生活。

飙升的点击率膨胀了我的虚荣心，我志得意满地准备出书吹嘘自己的幸福生活。

出书的事还未见眉目，我离婚了，以雪崩的速度。

我第一次真正领略了生活的荒诞，简直想笑。

接下来的两年时间，我写了一出话剧，编了一本杂志，又谈了一次热情的恋爱结了一次婚，出书的事情顺理成章地被耽搁下来。

一方面是没精力，另一方面是心里踌躇：这东西有人看么？

在朋友的怂恿下，我决定还是写下来再说，既然对婚姻有了新的感悟，又有了闲，况且一吐为快的欲望又像狗一样在后面猛追。

等到动笔的时候才觉得是自讨苦吃：因为是真人真事，所以既不能丑化别人，又不能美化自己；写得太狠，对不起自己；写得不狠，也对不起自己。我被迫用更为冷静客观的眼光再次打量当年的往事，并正视自己不愿正视的所有缺陷，老实交待自己的错误和感悟。

第一部分"结婚六年"是从前的博客文章，笔调泼辣轻快，而再写第二部分"七年之痒"和第三部分"单身时代"时，心境和眼光已经完全不同，写得相当滞涩艰难，可见按心意营造一个世界很容易，但认识一个真实的世界很困难。我还是善于给自己脸上贴金，需要给自己拆台的时候手就软，只能勉力为之。

本书的态度和观点，有很多前后矛盾的地方。我并没有着力修改，很多片面放肆的语句也没有删除。人走到不同位置，眼里的景观和心情必定不同，没有对错之分，只有高下之别，我希望读者能在这矛盾当中悟到真实，看到一个女人在婚姻中真实的成长经历，或者会有所触动。这也就是我写这本书的目的所在。

婚姻不是终极目标，甚至男女关系也不是，它们只是工具，帮我们领悟自己和生命本身——意义不过是我们赋予生命的说辞，如果有一天发现它是虚妄，还是要继续愉快地生活下去，就像一棵树或者一朵花，在成长中享受乐趣。

这是我在书中反复提到的观点。

由于眼界境界都有限，所以本书观点也不过是一家之言。或许不久之后的某一天我自己也会觉得它粗浅可笑。但这正是我的期待。

变化是生命的心跳。

我希望自己的世界没有边界，自己的成长没有终点。

祝福每个人。

第一章

结婚六年

预 感

以前常想：都说"七年之痒"，那第六年呢？

现在我知道，第六年的时候，我们在猜测第七年时会不会痒。

要是痒得轻呢，就挠挠；重呢，就互相蹭蹭；万一痒到不行了呢，就把鞋子脱了吧——谁说的对象如鞋子呢？

真没想到六年过得这么快，我总得写一点什么来纪念我们平凡的婚姻生活。

因为平凡，所以值得纪念。

我们都不喜欢大风大浪，都不喜欢严酷考验。

时间让两个人成了长进对方身体的巨大瘤子，要分开，也必定血肉模糊，丢掉一半的性命。

为此我们决定不分开，因为我们俩都惜命。

如果我们白头偕老，这文字就是里程碑；如果不，它就是墓志铭。

湿漉漉的夜，车里除了音乐，什么都没有。

我说：咱们要是挺不到第七年怎么办？

猪看了我一眼：我肯定能挺。

我反问：死挺？

猪：死挺！

我不依不饶：要是咱们俩都疲软了，死都挺不起来了呢？

猪像每一次我胡搅蛮缠的时候一样，转过被我赞美了无数次的四分之三的脸，轻轻地揪我耳朵："你这小东西，成天净想用不着的。有工夫不如想想怎么发财。"

瞧，这就是我家的猪。

世界上任何疑难杂症，到他头脑里之后，都会简化成一条最朴素的真理：钱。他是如假包换的"经济基础决定上层建筑"理论的忠实信徒。

为此我非常崇拜他。因为对于花钱，我行云流水；但对于赚钱，我惜字如金。

我想猪也很崇拜我吧，他经常觉得奇怪，为什么我银行户头上的数字能在一年之内都保持不变，从来没多攒过一个银毫子。

我说："猪，有时候我很感激你，有时候我很崇拜你，有时候我很讨厌你，有时候我很恨你，有时候我很信任你。有时候我很想知道如果没有遇到你，我的婚姻生活会是什么样；有时候我很心惊胆战，觉得自己不能忍受没有你的生活。"

猪："一连那么多'很'，我想你到了八十岁也仍然会这么极端。"

我叹口气："没办法啊，老公的人选不能变，老公自己又拒绝变身，我只好以万变应不变，像《百变狸猫》。"

我们同时笑了。

我们都是宫崎骏的拥趸，虽然他的立场没有我这么绝对和极端。

《百变狸猫》里那个笨蛋总学不会变身术，在一群聪明狸猫的变身过程中跟大家一起蹿上跳下摆造型，可不管什么姿势，他永远是只狸猫。

笨狸猫不会累，只要有爱他的人在旁边一边着急一边大笑。在别人都说他笨的时候,他的爱人只觉得他怎么那么可爱。

我就是这么一个别扭的女人,算命的网站给我下的结论是"身闲心忧"。文雅点儿说,就是"人生不满百,常怀千岁忧";通俗点儿说,就是"咸吃萝卜淡操心",要命的是还情绪化得接近精神分裂的边缘。

我常替猪慨叹他的倒霉,他在稀里糊涂的时候像义士一样娶了我,从此不得不经常面临诸如生死爱恨之类终极问题的灵魂拷问。认识我的男人经常充满同情地问我:你老公的日子很不好过吧?每次我都替他像革命义士一样回答:苦了他一个,幸福全天下的男人。至少我不会舍近求远地随便逮着一个男人进行痛苦对话了。

最近我觉得有些紧张,因为生活竟然如此平静。

暴风骤雨一样的吵架也没有了踪影。

我真是个唯恐天下不乱的女人。与惊涛骇浪相比,我对波澜不兴更有种深深的恐惧。

我害怕感情退潮,就像颜色慢慢地从画纸上褪下去,变淡再变淡。那时候纸也不是白纸,而是浸上了深深浅浅的黄渍。如果真是那样,我会不等那一天的到来,就亲手把画儿撕了。撕了,到底也还是一幅画。

周六,去附近的东北菜馆吃久违的嘎巴锅。我们都穿着从从与阿累送的黑客帝国 T 恤衫,心满意足地喝棒馇粥,喷香的土豆块儿像石头一样巨大。

我说:我不喜欢异形泳池,仰泳的时候我常担心撞到头。

猪:我也是。

我:我不喜欢窄长的泳池,那让我觉得自己会溺死在海中的隧道里。

猪:我也是。

我:我喜欢阳光下开阔的巨大的长方形泳池,池底倾斜地延伸,一边儿一米五,一边儿两米。

猪:我也是。

　　我们在对方的眼睛里看到自己，然后像猪那样微笑，捧着像猪一样滚圆的肚子。

　　像所有幸福的婚姻一样，我们的婚姻是件千疮百孔的旧衣服，通风、柔软、合身，以至于很多时候，你感觉不到它的存在。

　　但如果换一件呢，簇新、僵硬，款式再好也像个架子，我没有耐心，懒得花时间再把它穿旧。

　　晚上，猪拼命地往自己的饭盒里塞自己明天上工的口粮。

　　我大叫："你这只猪，你偷了我所有美好的土豆！"

　　猪露出两个酒窝，"我还偷走了你的芳心。"

　　跳不出他的手掌心儿了，我郁闷得很甜蜜。

纪 念 日

五月问: 你什么时候结的婚?

我有点儿含糊, 得去看看语录本儿一样不容置疑的结婚证书。

五月说今天是她结婚八周年纪念日。

我问她有什么感觉。她回答: 就是提醒自己作为人妇已满八年, 除了住进新房子,

也没什么感觉。

后来, 我听说她正在家里忙活着一顿浪漫晚餐。

水晶建议她真空穿围裙上阵, 我则建议她在围裙上画上一对巨波。

在法国南部, 似乎是普罗旺斯, 我在小摊上看到过一件围裙, 上面画着一个丰满女郎的胴体, 波大腿壮, 穿着蕾丝内衣与吊袜带, 标价十三欧元。一念之差, 我跟这个有趣的东西擦肩而过。到了巴黎, 我搜了无数小店也难觅芳踪, 深以为憾——我本来是打算拿它当礼物, 用在某一个纪念日里, 送给猪, 然后在他下厨的时候给他拍张玉照。

从某个方面说, 结婚, 就是突然多出一堆特别的日子, 每个日子都是一棵圣诞树, 需要亮晶晶的礼物装点。

　　结婚前，我是大刀王五，遇到某个特殊日子，满脑子想的是"狠宰"，虚荣得底儿掉，最喜欢华而不实并且可以招摇过市的礼物。但本质上还是乡下姑娘的虚荣，没指望着谁能送我一辆敞篷跑车开上大马路闯红灯；只是认为红玫瑰一定要送到办公室里才算拉风。现在想来，真是此地无银三百两——收一把花都恨不得举着游街去，可见这辈子没收到过珍珠项链钻石戒指之类的东西。

　　结婚后的第一个情人节，猪举着粉红色玫瑰进家门之后得到的第一句问候是："今天买玫瑰？你间歇性脑瘫啊，送上去挨宰。"

　　猪则很得意地说：放心，才三十块啦！我对店主说，现在已经晚上十一点，再过一小时，花儿就无人问津了，卖了算了。

　　饶是这样，我还是觉得：三十块钱买瓶洗发水不是更加实惠？

　　看，婚姻就是让人从天上掉到地上的过程。我们的礼物也极其默契地从华美不实用的花瓶变成锅碗瓢盆。生活不需要玫瑰花，生活需要吃饭。我们没穷到无饭可吃的份儿上，我们只是越来越懒——恋爱是登山，结婚是登顶，接下来自然可以趿拉着鞋慢慢走。

　　我，在送过了钱包、皮带、T恤、衬衫、刮胡刀、皮鞋、拖鞋，以至袜子手套之类之后，开始黔驴技穷——纪念日总不好意思送秋裤吧？

　　猪更贫乏，在送过了巧克力、鲜花、香水之后，又照着该顺序重复了几次，子子孙孙无穷匮也，看来是打算像愚公移山一样磨炼我的意志。

　　我特别想知道是谁发明了纪念日。各种各样的纪念日是考验人类记忆力和想像力的极限挑战。

　　好在，人的惰性最终推动了简洁主义风格的形成与发展。

　　刚刚一年下来，我们的纪念日就已经被精简成彼此的生日、情人节、结婚纪念日，全年仅仅幸存四个，而我们还心照不宣地为彼此不是同年同月同日生而深感遗憾，如果是那样，又可以名正言顺地精简掉一个。

如此一来，无懒可偷。我们绞尽脑汁要给对方一点点惊喜，那是平淡生活中一点点细小的欢乐，就像大草原上星星点点开着的小花。

拜金主义的猪是这样做的——

递给我一把钥匙："祝你生日快乐！我买了一辆车送给你。"

递给我一把钥匙："结婚纪念日快乐！我买了一栋房子送给你。"

别人听见了肯定以为我是二奶。

事实上，应该说，我们家买了车，我们家买了房，但他总挑选在某个特别的日子过户。《围城》里的李梅亭，得意的时候总恨不得身外化身，拍着自己的肩膀说：老李你真行。我想猪在那一刻也有同感。

多么不幸，我是个穷光蛋，所以只有劳神费力。

我给猪做了个 PPT 文件，用戏说的方法概括了我们的婚姻生活，以及要他感激我收留之恩的暗示。

我去香港买过 Twister，让我们的空闲时间有缠绵的瑜伽双修。

这一年的情人节，我发明了"亲密小贴贴"的游戏：五分钟内，在便签纸上写下对方的优点，然后贴在对方身上，谁写得多，谁赢，可以提出任何要求。

最后的结果如下：

猪给我写的——

美丽优雅热心

慷慨豁达快乐

活力四射、有韧性、顾家

坚强、有性格、情商高

有思想、意识独立

单纯、守法、无所畏惧

态度明确、善良、效率高

忠诚能干有主见

直觉好、有品位、新潮

有亲情、有文化、正派

直率、可爱、疼人

最后一张纸上，竟然写着"温柔"！

我给猪写的——

MSN 名字有趣

跟老婆一样喜欢麦兜

会游泳、滑冰、滑雪

经常下载可爱片片和字幕

能和老婆一起看演出并且充当司机

腿长

从不强迫老婆做违心事

上相

生存能力强，永远追求最好生活

闷骚

会赚钱

懂得享受人生

经常撒娇

善良、博学

孝顺岳父岳母

喂流浪猫吃饼干

能忍受老婆发飙

做饭好吃

宽容

崇拜老婆

舍不得给老婆花钱, 但乐于造福家庭

有点儿浪漫

会唱大象歌, 跳扭屁屁舞, 会学小新说话

互相看了答案之后, 我捶床大怒, 抄起擀面杖满屋子追猪。因为我怎么也不相信猪写的那个人会是我, 一定要他交代: 究竟脑子里是想着谁才写出来那么多溢美之词, 尤其是"温柔"!

被揪着耳朵的猪连声求饶, 并且含羞带怨地答应了我的要求:"蚂蚁走路"!

这是杨丽萍《云南映象》中超级精彩的片段, 一男一女别在一起, 头对尾尾对头, 以双人俯卧撑的状态同时四肢着地, 开步走!

结果, 仅仅三秒之后, 我岔气, 他抽筋, 我们轰然倒地。

六年以后的现在, 我们似乎淡忘了很多纪念日。总要看到满大街的玫瑰涨价, 才恍然领悟: 明天原来是情人节啊! 或者, 一个总对另一个说: 喂, 我生日, 送红包。我们开始随心所欲地送礼物, 不管今夕何夕, 送一只小猪的皮钥匙链, 送一个 Iopd, 送一套光盘。

日子就像秋天的叶子, 一片片地飘落, 迟早都会落光, 我们不过是想让它们落下来的姿势更优美一些, 免得只剩光秃秃树干的时候, 只剩空虚。

甚至, 我们伪造了很多纪念日, 在欲望横流的时候给自己一个忍痛作乐的口实, 比如——

"我们去吃日餐。"

"为什么呢？"

"今天是我们首次吵架合好的纪念日！"

"今天要买抹茶蛋糕！"

"为什么？"

"今天是你第一次送花到我办公室的纪念日！"

"送我礼物。"

"这又是为什么？"

"这是咱们俩中途分手纪念日！"

"我……"

"这么重要的日子你竟然不记得，可见心里没有我。我知道你本质上是个有责任心的男人，只是偶尔疏忽，现在一定追悔莫及、痛心疾首，我们一起去逛街，用送我礼物的方式冲淡你的负疚吧！"

……

每当此时，猪的表情总是非常奇怪，我怀疑他脸上的肌肉在跳肚皮舞，不可思议又风情万种。

纪念日是个矛盾。生活总是这样充满矛盾，好坏纠缠不清，犹如一块五花肉。

同 床 异 梦

想不到给我办离婚手续的,竟然是一熟人——报社组版员!
还来不及纳闷呢,她就递给我一张黄色十六开表格,很耐心地告诉我,这就是离婚
证明,根据你的情况,打几个勾,做几个选择题就 OK 了。像填写所有的表格一样,
我照例涂错了好几处,还满头大汗地一个劲儿道歉。

真没想到,猪竟然移情别恋了,最要命的是竟然和我那怀孕的女同事勾搭到一块儿去了!

而我,竟然连财产分割之类的问题都没问,很平静地签名,然后从一打儿纸上把我那页证明撕下来,折几折,揣进口袋,就像在收拾一张发票。

走到街上,正茫然无措,突然觉得有人在我耳边吹气。

一惊之下,我睁开眼睛,阳光晃得难受,猪把脸伏在我的枕头上,正傻笑着。

"我梦见咱俩离婚了。"我迷迷糊糊地说。

之后突然清醒,龇牙咧嘴地扑上去就咬,"你竟然连孕妇都不放过!"

猪一边儿左躲右闪,一边儿委屈滔天,"做梦也算啊!"

我也纳闷儿,做梦怎么能如此真实,有鼻子有眼:我记得自己填表的时候,眼见着他们谈笑风生地走过去,我甚至还仔细打量了一下孕妇女同事身上的紧身黑白波浪形条纹裙子，心里觉得蛮有型。

"我拿到一张黄色的离婚证明，就算办了手续了。"我说。

"你个猪头，离完婚之后才有证明，哪有没离就给你的。"猪再一次就常识问题鄙视了我。

虽然，我们俩都没离过婚，可猪好像还是比我有常识。后来想想，觉得他其实也是胡扯，没听说有离婚证明这东西的，只有离婚证。

❶

猪是个过完就忘的幸福人，我不是。

我像偏执狂一样问：可我为什么做这种没谱的梦呢？

猪翻个身：我可从来没做过。

我叹口气：反正咱俩同床异梦也不是一天两天了。

女友粟粟曾经问我为什么不多写些关于婚姻的文章，她爱看。

我总说：忙，过几天就写。

实际上，我心里有些飘忽，像踩在一块架在高处的薄木板上，深恐一脚踏空。

总在心情好的时候，才敢写结婚这件事，唯恐心情一郁闷，就把所有堆在记忆角落里的不快给扫出来，更怕追根究底地探讨下去——发觉婚姻这件事，也跟全天下的琐事一样，没什么意义。而实际上，我心情郁闷的时候比愉快的时候更多。

辛晓琪唱"爱是绝境，幸运的人不远行"，说白了，就是天下万事万物，都禁不住琢磨，越往深里琢磨，越觉得荒诞。或者干脆成个哲学家——可当个哲学家多痛苦啊？

稀里糊涂地过着，觉得结婚挺好。可一味这么写下去，我生怕误导了大龄女青年，让她们以为一结婚就鲜花盛开，天使奏乐，从此摆脱孤枕难眠的凄凉境地。其实有时候，枕头上放着两个脑袋，你会感到更孤独，因为同床异梦。

比如，我和猪。

❷

我们的噩梦不同步，连春梦也是各做各的。

我的梦中情人，应该消瘦、苍白、敏感，手指和身材一样修长，有浓郁的文艺气息，以至于经常不说人话。

而猪理想中的床伴儿，有三个类型：情妇型、小白领型、大学生型，一句话，俏丽小女人型。

有时候我们都很纳闷：怎么自己爱的人，与选择结婚的人，差得如此天悬地隔——猪黑、壮硕、一丁点儿都不敏感、鄙视文艺青年、喜欢傻笑；而我，暴脾气、不穿内衣、喜欢穿着"丐帮服"招摇过市、对所有的蕾丝荷叶边深恶痛绝，长着一张不解风情的"大奶脸"，但其实奶却一点儿都不大。

恋爱靠激情，结婚靠理智。我们激情地恋爱，理智地结婚。

我想，如果没有"夫妻生活"这档子事儿，一切都可以异乎寻常地完美。

开灯，猪说。

关掉，我坚持。

一分钟前戏足够了，猪说。

你敢，我说。

吃避孕药，猪说。

用安全套，我说。

我喜欢夜晚，我说。

早晨精力充沛，猪说。

去你的，我最受不了刚起床又倒下，一天下不了床，我起身离席。

女人不能太主动，猪说。

那你干吗不到大街上去强奸,我冷笑。

我打开音乐,浪漫。

猪随手关掉,吵死了。

你能不能做出害羞的样子,猪说。

你不如让我装处女,我说。

你能不能别傻笑,我以为自己在和蜡笔小新上床,我懊恼。

你能不能别这么酷,搞得我跟强奸犯一样,猪失去了耐心。

反正你喜欢强奸,我"哧"了一声。

那好,装酷是吧? I am Bond, James Bond! 猪学得惟妙惟肖。

最后,我们的夫妻生活,总以闹剧收场。

但心里,也不是不遗憾的。

有时候,这种遗憾会像乌云一样越聚越多,结果是一场电闪雷鸣般的恶吵。

我对猪说:我怎么没激情了呢?

猪说:我有。

你虚伪,我说。

你要是穿上学生制服或者护士装,我一定激情澎湃,猪说。

我恶狠狠地看着他:去死吧你!

"性是交流,"我说,"我看着你,我爱你,我不知道应该怎样表达,语言和拥抱都太无力,于是,我想和你做爱。不管你当时穿什么衣服,剪什么发型,在说什么做什么。我别无选择。"

猪看着我,若有所思。

"而你,你一直认为性是男人的发泄。所以你巴不得我此时此刻是个 AV 女优,对你百般顺从,哪怕跳脱衣舞取乐。"我继续,"我不能对你抱有太多奢望,因为大多数男人都这么想。你已经比很多人干净了,因为你敢于承认。"

"我没想过这么多。"猪嗫嚅。

"算了吧，一句话，在床上，女人比男人高级。"我以不容置疑的口气和手势结束了我们的对话。

再说下去也没什么意义。

让婚姻延续下去，或者说，获得一桩美满婚姻的原则是：不要为他人改变，不要让他人为你改变。否则两人都会觉得这辈子愧对自个儿，然后迁怒于对方，再然后反目成仇、分道扬镳。如果你还觉得这男人的样子能看，那就继续；如果你看到他就恶心，那么收拾东西走人，犯不上彼此进行劳动改造。

❸

T 曾经问我：你爱我吗？

我说：爱。你像个不良少年。

T 又问：那你爱他吗？

我想了想，说：爱。他像个不设防的孩子。

M 曾经问我：他能给你你真正需要的东西吗？

我说；我都不知道自己需要什么。

M 说：那他是失败的。

我说：不对。他给我的，远远超过了我的需要。

M 想了想，说：是。我真的无法做到他那样百依百顺。

所以，我嫁给了猪。

世界上没有完美的事，更没有完美的婚姻。

所以，我们必须互相迁就。

如果你独身惯了，就不会知道，迁就，在婚姻里绝对是个美德。不管你在外面如何叱咤风云张牙舞爪，有时候也需要低眉顺眼。

但凡事都有个底线。

猪说：如果你打扮得漂亮，然后打电话意味深长地叫我早点儿回家，我会很兴奋。

我：原来所有的加班其实都可以取消。

猪：偶尔一次嘛。

我：如果我打扮齐整坐在家里，你回来之后会诧异地说：咦？要出去啊？如果我穿着蕾丝内衣吊袜带在暖气管子上跳钢管舞，你回来之后会大叫：你疯啦！然后抄起电话叫救护车。要不然我往浴缸里撒玫瑰花瓣，然后在窗台上点满蜡烛，床上铺满粉红色的鸵鸟毛如何？你不觉得这像三流色情电影的拍摄场地？你这个烂浪漫的双鱼座。

"以前不是这样的，"猪很迷惑，"以前咱俩什么花招都不用，就已经干柴烈火了。"

那是因为以前咱俩不熟，我说。

❹

朋友肖风曾经鼓励我们做个试验：

婚前每做爱一次，就往罐子里扔一枚硬币；婚后每做一次，就从罐子里掏出一枚硬币。看看什么时候才能把硬币掏干净。

我才没傻到真这么做，肖风当然也不会，全天下估计没有一对夫妻敢真这么干一回。

想出这个主意的，一定是个最尖酸刻毒的家伙，他一针见血地戳中了所有婚姻的死结。如果把他拖出来游街，难免不被大群恼羞成怒的夫妻当墨索里尼吊起来示众——有时候诚实比虚伪更该死。

从某个角度来看，自由恋爱结成的婚姻，与父母包办结成的婚姻似乎没什么区别：激情总是无可奈何地被湮没于日常。

《一声叹息》里的张国立对老婆说："摸着你的手，好像左手摸右手，没感觉；可要是砍一下，疼！"

所有的婚姻都是个悖论，当情感上密不可分，肉体上也就麻木不仁了；所有的婚姻都是个矛盾的西瓜，当心理上成熟时，生理上也就娄了。

六年之后，当我们接吻如刷牙，做爱如乱伦的时候，夫妻也就成了亲人。不管你愿意还是不愿意，这一天都会像更年期一样坚定地到来。

也许，还是可以想些办法给自己的激情判个死缓。

我们角色扮演吧？猪说。

行，我说，等我找条结实的皮带。

还是来点儿温柔的吧，猪说，哎，你干什么你。

往你脸上贴爱德华·诺顿的海报啊！我说。

我倒希望你变日本女优。猪愤愤。

好呀，我把乱发扫到脸上，像不像《午夜凶铃》里的贞子？

猪落荒而逃。

其实我有个更好的办法，非常简单。我说。

猪期待地看着我。

拿俩布条，咱们俩都蒙上眼睛，爱把对方想像成谁就是谁，比扮演省事儿多了。我说。

猪彻底无语。

在结婚六年之后，所有伎俩都显得突兀可笑。

总不能咱们躺在一起看毛片吧？猪黔驴技穷。

那也得各看各的。我说。

为什么？猪不解。

咱们俩连喜欢的毛片都不是一个类型。我耸肩，但并不觉得太难过。

❺

我从不相信绝对忠诚这回事——在婚姻里。

男人忠贞，不过是因为背叛的代价太大；女人节烈，不过是因为外面的诱惑不够。

结婚，就是因为一棵树放弃整片森林。我找到自己的树，却发现它长在悬崖边上。我靠着它，小心翼翼地保持着独立。我不抱怨自己的婚姻。所有的婚姻，都长在悬崖边儿上，很容易伤筋动骨，万劫不复。

"如果有一天，你遇到了让自己重新激情万丈的人，或者我遇到这样的人，我们会不会分开？"我问。

"不会再有这样的人。"猪说。

"凭什么这么笃定？"我问。

"因为——我实在是太优秀啦，吼吼吼吼！"猪像任我行一样仰天长啸。

一个如此严肃的话题就这样无厘头地收场。

看《乳房与月亮》，女主角幸运地拥有两个男人，一个是精神伴侣，一个是肉体知音。

我跃跃欲试，对猪叫嚣：我也要这样！

猪死死地把我揽进怀里："小样的你敢！"

我深深地吸了一口气："猪，你身上有股甜玉米味儿。"

许如芸唱"让我靠在你的肩头埋葬我的脸"。

无论如何，我找到了自己打算长眠的那块墓地，尚未打算搬迁。

夫 妻 如 乱 伦

有人问我：夫妻关系的最高境界是什么？

我答：乱伦关系。

该人遂背过气去。

我和猪，如姊如母，如兄如父，不是乱伦，近似乱伦。

开始时，像所有正经的宣传品上说的那样，一切正常，我装温良小女人，他装威武大丈夫，后来，时间像消毒水一样把我们俩给漂白还原了，不知不觉就露出了马脚。

猪诧异地看着我说：你怎么穿得跟我差不多啊？感觉像同性恋。以前那个苗条、温柔、善良的小姑娘哪里去了？

我狞笑：哼哼，在我身体里。

猪把手指塞到嘴里，做筛糠惊怖状：天哪，你把她吃了！

但，猪对于我的惊讶还远不如我对于他的惊讶来得排山倒海。

从某一天起，我突然发现，猪开始频繁地使用诸如"耶、嘛、呀、喽"等语气助词，而且用得非常欢欣鼓舞、花枝乱颤。尤其是"嗯……嗯……"，运用得一波三折，沁人心脾。

再后来的某天，我更加惊异地发现，猪开始自如地运用叠音词，如饭，叫饭饭；抱，叫抱抱；摇，叫摇摇；肚子，叫肚肚；屁股，叫屁屁，诸如此类。

这，还只是初级阶段。

❶

蜡笔小新风行的时候，猪大喜过望，认为找到了精神知己。

从此——

在电视里看到美女，猪会咧嘴嘿嘿傻笑："漂漂大姐姐哦！"

洗澡之后，猪会光着他的屁屁站在镜子前高呼："我是光屁屁外星人！"

心里一美，猪也会把自己弄成一条柔软的海草，在空气里随风摇摆，唱："大象大象鼻子长。"

半夜的时候，有时能听见厨房传来窸窸窣窣的声音，我常大吼一声："猪！晚上不许偷巧克力饼干吃。"

猪会探出来半张脸，做一个可怜兮兮的表情："被你看穿了，老妖怪！"

或者："好讨厌的大屁屁欧巴桑！"

吃饭，猪会把青椒悉数扔到我碗里："大姐姐，你肯定喜欢吃吧？"

我目瞪口呆地端着碗，揉揉眼睛仔细地看身旁这个比我大六岁的男人，然后扒开他的嘴唇检查牙床，拨拉他的头发检查头皮，以便搞清楚猪是否由于碰到了外星人而返老还童。结果很令人失望，他全身的器官每天都在坚持衰老，心态却固执地坚持走回头路——我多么希望恰恰相反啊！

再后来，猪越发地熟不拘礼，除了在我面前袒露他那并不完美的裸体外，还袒露他所有的优点与缺点，然后等待我的崇拜或者唠叨。

比如："今天女同事说我穿白衬衫很帅哦！"（语气——自鸣得意地）然后在镜子前搔首弄姿。

或者："猪猪好倒霉哦,今天又被贴罚单。"(语气——委屈地)然后等我摸着他的脸慰安。

再或者："人家今天累死啦,猪鼬（猪给予我的外号,说我像猪一样懒惰,鼬一样狡猾）。帮我把袜子洗了好不好,好不好嘛……"(语气——令人起鸡皮疙瘩地)然后自己爬上床,啪一声打开酸奶瓶子,再啪一声打开电视,对我小李飞刀般凌厉的眼神自动回避,犹如练过百毒不侵的金钟罩铁布衫。

❷

猪的另外一个习性是,走到哪儿,吃到哪儿;吃到哪儿,扔到哪儿。以至于我经常在一些意想不到的角落发现小小的金字塔形的残渣堆积着,内容包括:苹果皮、西瓜子、花生皮、话梅核、鱼骨头,以及种种能带给我惊喜的东西。

对此,我照旧唠叨,但猪已经达到了"听而不听,不听而听"的佛教胜境,如老僧入定般神闲气定。暗暗观察,我发觉猪似乎对这些唠叨多少是有些享受的,如果有一天我停止了唐僧般的絮絮叨叨,他肯定会先觉得寂寞,然后觉得惶恐,继而不停地问究竟哪里出了错。

事实上,女人的唠叨,对于男人来说,是安全感的组成部分。

这大概可以溯源到从幼年到青春期的老妈的唠叨,那东西就像妈妈手里永远缠不完的毛线团一样,烦人,但又温暖而家常。当一个男人乐于听你唠叨的时候,说明他在潜意识里已经在你脸上贴了"妈"的脸谱。

举一反三,我相信,关于返老还童的撒娇现象,也是同理。小时候男孩永远靠着让人难以理解的顽劣赢得老妈的关注与疼爱,年龄增长,习惯却没有因此刹闸,跟着岁数一起发扬光大了。当猪向我撒娇,我相信大大的"妈"字正在我脸上闪闪发光。

婚礼上女儿总是由父亲小心翼翼地交给老公,冠冕堂皇地表示照顾女人的义务在两个男人之间交接了——真是蒙人!完全掩盖了恐怖的现实。我一直觉得，不妨改造一把，在神圣的礼乐声中，由妈牵着儿子出来，然后交给儿媳妇——示意她从此开始负责该男人的饮食起居，不得推诿。

真相就是如此令人发指。

❸

有人曾经写文章问："男人何时才能长大？"

我讥笑作者：一看就没结过婚，太没经验。男人永远不会长大，他们只会发胖。

某同事新婚，又迁新居，我们一大帮人跑到她家去吃蟹庆祝。第二天，同事反映其老公不慎受惊——半夜，突然在卧室的角落里发现巨型蜘蛛一只，遂大叫一声，施展轻功蹿往床角。同事上前查看，发觉原来是只漏网之蟹，它跳下灶台，穿越客厅、走廊、书房，逃脱了蒸煮，体面地在卧室寿终正寝。真相既已大白，同事遂命老公将其拿走。老公抵死不从，原因是："我怕！"同事因此非常歆歔：以为找到老公之后，就找到了遮风挡雨的棚子，怎么如今的棚子们比我还脆弱无助呢？

我倒觉得，如果没结婚，恐怕该男早忘记了恐慌的事实，着力表现自己的非凡勇气还来不及，此次原形毕露，只因已经在心理上把老婆当成了可以遮风挡雨的第二个妈。

朋友五月在某天问我：你家猪哭吗？

我说：哭。

她问：是无声啜泣，还是放声大哭？

我说：他嘴一歪就哭，通常雷声大雨点小。

五月说：我家猪更厉害。经常是我委屈，哭两声吸引他哄我，不想他一屁股坐在我身边，号啕大哭，涕泪横流，最后我一定要拥抱他安慰他，以至慰安他，才能告一段落。

我大笑：又一个会撒娇的儿子老公。

还有一个事业有成的姐姐，人长得娇小袅娜，却感叹得非常坦率：我小儿子八个月，大儿子三十七岁。俩儿子一起撒娇，一起要求照顾，就差一起吃奶了。

当初大家找个男人满心欢喜，以为从此有了靠山，如今大家面面相觑：敢情找老公能有效激发我们身体中潜伏的母性，为将来养育孩子做准备工作，上帝的安排多么耸人听闻！

❹

一相熟的朋友私下里对我说：你老公怎么老跟你腻腻歪歪的，好像你是他第二个妈似的。

我答：全天下男人大概都一样。你老公不把你当妈，是因为你没给他机会。

结婚的一大用处，是彻底打碎了男人在我心目中的"超人"形象，不管他在外面如何叱咤风云，回家肯定会回复儿童本质。要是回家还装超人，那只能说明婚姻太失败，活得太累。

常有不明真相的未婚姑娘流着口水对我说："你家猪多好啊！"

我于是熟练地数落猪的种种"儿子"举动。

姑娘们脸上立即浮现出鄙夷的表情，并迅速地站得更远些，唯恐被我从家里带来的变态气息沾染。

其实，我不止一次地劝过一群看似不食人间烟火的姑娘：不管你最初想找个什么样的男人，最后都会发现，你其实找了个硕大的儿子。

姑娘们嗤之以鼻：凭什么我照顾他呢，一定要找个能照顾我的。

我耸肩：你面前有三条路——要么你屈从现实，为儿子老公鞠躬尽瘁；要么你出淤泥而不染，孤独终老；要么你抱着幻想的大冰块结婚，等现实照进幻想。

我身边还有个女强人，情商智商均高，事业小成，不怒而威，但对老公绝对三陪。陪吃——老公总在半夜的时候要赖：饿了，陪我吃肯德基吧，减肥可以明天再进行；陪喝——老公好酒，一喝就高，酒后撒娇耍赖，得顺着、哄着；陪聊——老公好侃，云山雾罩，不论内容怎样，女强人都面带微笑，顺便把不圆的地方给编圆了。

女人与男人的这种非血缘性母子关系，无关尊严，事关本能。

❺

我倒是很欣赏男人骨子里的顽童本质，并且一直认为，正因为如此，男人才比女人有成就——女人照顾男人，男人玩。

探险是玩，画画是玩，唱歌是玩，拍电影是玩，赚钱也是玩，玩可比工作让人兴奋多了，纯粹多了，也容易上层次出境界多了。当然，玩麻将、玩大烟、玩女人之类除外，那都是不良儿童干的。

因此，我像个妈纵容自家儿子一样纵容着猪，尽管他这辈子也玩不成大师，可玩成个快乐的普通人也不错。

猪在我面前表现出顽劣儿童的种种，只能证明他信任并且相信我，但这并不代表婚姻从此安如磐石。

话说一个已婚男人与一个姑娘如胶似漆，姑娘杀气腾腾地找到原配："你把他让给我吧，他爱我！"原配一笑，"我不但是他老婆，还是他妈，他怎么会离开我？小姑娘，你太年轻了，不懂。"

尽管结局真如原配的预言，我还是觉得有些心寒——要是有一天这幕发生在我身上该怎么办？突然间我理解了婆婆对儿媳的憎恶：这个女人竟然夺走了曾经如此依赖我的男人！

要命的是，妈独一无二至高无上，换无可换，老婆倒只是种身份，像世界小姐脑袋上的钻冠，任何适龄女性均可报名参与，竞争上岗，情势惨烈。而血战到底的结果，肯定不是那个最会当"妈"的女人获胜，而是将"妈"与"情人"双重身份演绎得水乳交融、天衣无缝的女人艳冠群芳。

男人对妻子的终极幻想，是"上得厅堂，下得厨房，入得卧房"，分明是
"妈"、"情人"再加上"小时工"的三位一体——男人通常比较贪心，完全清
醒的不多，要学会原谅他们。

上课的时候为了博得老师的注意，我总曲着腿半站起来把手举得很高，
争着回答问题。婚后发现，这招也管用，我需要见缝插针地寻找一切可以撒
娇耍赖、申请照顾的机会，以示权利和义务的均衡。

我固执地拒绝学习开车，因为认为猪转弯时转动方向盘的样子非常行云
流水，我不想错过这样心安理得地享受照顾的机会。

我一副泼皮破落户的样子让他背上楼，因为喜欢欺压他的感觉。

小小的充满温情的伎俩，如果不会这一两度散手，也就不是女人了。

别怪我不想说太多关于女人的种种"恶劣形迹"，因为这些是如此约定俗
成，尽人皆知，远远不如抖落大男人如何撒娇更加有趣。

我发现，不管自己和什么样的女人聊天，也不管话题兜多远，最后永远降
落在写着"男女关系"四个大字的停机坪上。这样大同小异的谈话听了十好
几年，不能不佩服女人们都是语言大师，在她们口中，夫妻关系同宋词里的
爱情，相似的情节讲得横看成岭侧成峰，浓妆淡抹总相宜。

两年前，我去斯里兰卡出差的时候，在没完没了地山路上，车里的女人们
群情激奋且没完没了地讨论着婚姻与男人。

讲到高潮处，一女总结道："总觉得我老公跟我儿子相仿。"

大家纷纷点头，并纷纷举例，热烈响应。

只有另一女沉思不语，片刻，方道："难道你们的老公都像儿子吗？怎么
我家老公像孙子呢？"

众人遂甘拜下风。

美 女 符 号

水晶家里请过一个"女皇小时工"，年过四十，仍然风韵犹存，无数有成男人拜倒在其石榴裙下。

水晶问何故。

"女皇"答：他们就是喜欢我描眉画眼、轻声细语的这股子劲儿。

我们听后面面相觑：如果情场一争，估计都得被这位前辈扫于马下。

看过了那么多男人，见过那么多故事，又和猪生活了这么久，我发觉男人评判美女的标准竟然极其简单，只要你符合六个符号——

1 长直发，或者微微的大波浪长发

2 白皮肤

3 穿显身条儿的裙子

4 穿高跟鞋

5 化妆

6 拎小包

如果硬要加个第七条的话，那就是在看不清脸的情形下，穿得越少越美。

不信你拿同一个人的两张远景照片儿，一个穿大衣，一个穿比基尼，男人肯定指着露肉多的那张喊"美女啊"，尽管照片里那位"佳人"可能是个男的。

一句话，凡是性特征明显，让人看上去想"发乎情，止乎非礼"的，就是美女。

看来男人就是比女人单纯。

女人有感性思维和理性思维，男人只有性思维。

女人的大脑连接着一串儿的器官，男人的大脑通过胃直通生殖器。

在男人的世界里，食品和性犹如煤和石油，是推动他们前进的两大原动力。毕加索娶了若干个老婆，女性器官画得极其传神；达·芬奇据传是个同性恋；另有终身不娶的若干大家，性能力被压抑，就都转化成创造力了。

所以，女人看男人，除了身材相貌，还要看职业谈吐、衣着身世；男人看女人，除了身材相貌，还是身材相貌——但娶妻除外。

聪明男人娶老婆娶的是生活伙伴，属生活需要；但看美女看的是最简单原始的性吸引，属于生理需要。因此很多男人娶了老婆之后，脑袋还会像向日葵一样，随着街边儿穿着热裤的小姑娘转一百八十度，正常。

也有坚持按照梦想和本能生活的男人。我有个男性朋友，毕生梦想就是找个跳舞的姑娘为妻，原因是腿长会劈叉，于是单身至今。

可见要捕捉男人并不困难，照着以上六条装扮起来便是，只要你没觉得委屈了自己。

我就不行，生理心理都不支持——肤黑；穿宽袍大袖；踩上高跟鞋不会走路；春夏秋冬裸着一张脸；背包大得能装进十斤大米。唯一符合的一条是头发长，但纠集蓬乱得犹如方便面，总之是像匪女多过像美女，也就安心地做了匪女。

年轻的时候也无意中按照"美女六符号"修炼过。

猪常怀念我穿着收腰长大衣留直长发含羞带怨地站在雪地里等他的样子，说我那时的女人味儿像席梦思床垫儿上的梦一样绵软悠长，怎么现在变得跟丐帮似的。

我不以为然。

年轻的时候，我巴不得天天活在别人的眼睛里，现在发现能舒坦地活在自己心里就是天下最美的事儿。我扮美女出于求偶本能，无师自通；我找回自己喜欢的样子则属于随心所欲，尚需修炼。

男人要漂亮，女人要自由。

不做美女也没什么不好，我无须照顾形象，能随意找个地方席地而坐；能带着两条裤子一个包在国外溜达十天，说走就走；能买个冰激凌在大街狂吃；能一头扎进街边的新疆小馆子，学维吾尔小伙子卷着舌头招呼："二十个羊肉串儿一瓶儿啤酒！"能露着牙床放声大笑；能疯狂追逐进站的城铁——此时球鞋就是比高跟鞋管用，还能肆无忌惮地盯着美女细细欣赏，并暗暗为美女觉得辛苦。

去土耳其的时候，爬上艾斐斯废墟，我眼见着同行的一位美女穿着七公分的高跟儿皮拖上上下下，如履平地，忍不住上前问累不累，美女答：不累，不穿高跟鞋不会走路，身体会向后倒。

去西班牙的时候，又碰上一位裙裾飘飘的美女，高跟鞋，下城堡的高台阶时会柔声唤我前去搀扶，举止弱柳扶风，我见犹怜，更何况男人。

做美女做得这么辛苦，我愿全天下的美女都能找到个懂得"女为悦己者容"并小心珍惜的慈悲男人。

"你穿紧身长裙好不好？"猪常这样要求。

"我只有松身长裙。"我说。

"去做旗袍穿好不好？"猪继续。

"好，如果我决定去做迎宾小姐的话。"

"能不能为我改变一下？"猪说。

我耸肩："换人比换衣服来得容易，或者你原本找错了人？"

"你不在乎我。"猪委屈。

"失去你我还有我，失去我，要你还有什么意义？"我说。

"你的毛病是太真实。"猪看着我。

"你的毛病是太爱幻想。"我也看着猪。

突然两人都扑哧一笑：衣服而已，怎么搞得跟"留发不留头，留头不留发"似的，这么严肃。

于是两人照旧都穿白衬衫卡其裤帆布鞋出门，猪哀叹自己就快变成同性恋了。

损友对我说："做不成美女就做才女吧？"

我答："不做，才女全短命。"

又一友阅毕追问："那你到底想做什么女？"

我答："一泼辣妇女！能打滚耍赖、进门掌掴第三者、出门抱着孩子去老公单位闹还有妇联给撑腰的那种，放肆哭笑、快意恩仇，吼吼吼吼吼吼！"

装 修 猛 于 外 遇

城市里最容易赢得同情的理由原来是装修，比装病都管用。

想考验夫妻感情又不想引狼入室的，建议装次修。

一场关于外遇的战争不外乎这样开场——

"要我还是要她？"

或者："说吧，想怎么着？"

而一场装修大战则各有各的起因、发展、高潮和结局。

我和猪的战争，是这样拉开帷幕的——

猪：客厅要摆一溜大沙发，墙上挂大电视，坐一天都不烦。

我：要沙发没有，要乒乓球台子倒有一张。

三分钟后，猪捡起掉在地上的下巴，道：在哪儿吃饭？

我：球台上。

猪：在哪儿办公？

我：球台上。

猪：在哪儿看电视？

我：球台下面放俩凳子。

猪：来客人没有客厅怎么办？

我：进卧室。

猪：坐哪儿？

我：上床。

……

猪：没有乒乓球台你会死啊？

我一字一顿：你会死！

从拿到钥匙的那天起，围绕装修产生的大小火拼与肉搏就纷至沓来。从前，我就是换个脑袋也想不到，原来一男一女的装修过程是如此富于戏剧性，比电视里的情景喜剧生动多了。

"买个藤编摇椅，放客厅阳台上，喝咖啡晒太阳。"猪喜滋滋地说。

"首先，阳台尺寸不支撑你的白日梦；其次，鉴于冰箱无处安置，我决定把它发配到阳台。"

"那摇椅放卧室的阳台上。"猪坚持。

"如果你觉得头上晾着滴水内裤喝咖啡是件浪漫事儿的话就行。"

"知不知道这时候你特别难看啊？"猪皱着鼻子鄙视我。

鄙视归鄙视，两个阳台，最后一个放了冰箱，一个做了储物柜。

我当然知道摇椅浪漫，但更知道杂物因为找不到藏身处而俯仰皆是，是多么可怕的邋遢情形。

荒诞的建议层出不穷，比如，猪说："把红酒架子倒着吊在橱柜里面，这样省地方。"说罢脸上颇有得意之色，认为自己英明神武，盖世无双。我想像着红酒们像蝙蝠一样悬挂在煤气表上方的情形,甚觉不靠谱,于是做认真状,"不如直接倒吊在天花板上,一般人偷不走。"猪竟然也很认真地想想,"要是红酒瓶子掉下来而我又正好从下面经过,咦,好恐怖的空袭!"说罢还打个冷战。

❷

相比起来,外遇这回事真是太陈词滥调了,折腾来折腾去,跳不出你爱我我不爱你,我要走你要留,两败俱伤或者一方惨胜,仅此而已,哪里比得上装修花样翻新,出尽百宝?

柜子的颜色、床的高矮、床头柜上要不要玻璃、书柜下面究竟要几个抽屉、鞋架子到底用横隔板还是斜隔板、开关的位置是否要移十公分、电视机的尺寸、窗帘的预算,统统有幸成为我们战争的导火索,真正一地鸡毛。

有时候自己也觉得荒诞:生命的确没意义,分分秒秒都浪费在这样琐碎的事情上。后来又安慰自己:尽管琐碎,还是比决定要不要打伊拉克之类的大事幸福多了,于是心理平衡,一鼓作气地接着吵。

此时你会发现,在装修的时候,俩人前半辈子学会的虚与委蛇的沟通方式统统失效,所有问题原来都可以用最简单直接的方式解决:吵。

但小吵怡情,大吵伤身,吵而不气,方是此间正道。

虽然俩人都墨守此规矩,但剧情也有出乎想像、没法控制的时候。

比如,猪竟然异想天开地打算用探照灯般的射灯当做客厅主灯,理所当然地遭到了我的奚落:"你想让咱们家变成影棚还是审讯室?你这头没品位的猪!"

"这你又不是第一天知道。有品位没房子的多了,也没见你换一个啊!"

"贫贱夫妻百事哀,我巴不得用金砖把设计师砸晕,谁稀罕拿着卷尺和计算器满世界灰头土脸地跑?"我指着路边崭新的奥迪道,"明天我就换个更有钱的。"

"就你还奥迪哪，奥拓还差不多。"猪鼻孔朝天。

所有的涵养功夫此时灰飞烟灭，面前只有两条路：拍案而起或者拂袖而去。我选前者，于是争吵层次瞬间从灯具升级到人格。

❸

谁说装修没有残酷的一面？

为外遇吵闹，还可以把全部责任都推给狐狸精，吵来吵去原来俩人都纯情如处子，牺牲精神则直追罗密欧与朱丽叶。

为装修吵，不但鸡零狗碎毫不浪漫，且纯粹是内部矛盾，怨不得别人。

吵的次数渐多，透过无穷无尽的锯末、地板下脚料与油漆桶，发觉对方原来青面獠牙、头上长角。最惨的是没有第三者好埋怨，自己又永远不会错，因此只有解释成"遇人不淑"，千错万错，都是不淑之人有错。

对方管得紧，便想："他为什么不能迁就我？事事尊重我的意见？"对方管得少，便想："两个人的事儿我一个人办，他还诸多挑剔，分明是不在意我。"若总是意见相左，则懊恼："这个人的品位着实太差，脾气又急，油盐不进，真正可气。"

所有社会问题，归根究底都是人性问题。

吵来吵去吵到疲惫，谁不是爱自己更多？

乐观主义者和悲观主义者都看得清本质，二者的区别仅仅是：一个积极嘲笑自己；一个积极挑剔别人。

好在我和猪最后都下定决心做前者，闭上一只眼睛，必要时闭上两只眼睛做夫妻。人至察则无徒，我们都是凡人，我们最怕寂寞，乐得在吵吵闹闹中生动地度日。所以，装修之时，懂得发笑，简直像会数人民币一样不可或缺。

朋友五月的老公给她打电话说：柜子送来了，颜色好像有点儿不一样啊。

五月回家一看，订的白柜子换成了半黑半白的柜子。墙纸送来了，又给五月打电话说：颜色，好像有点儿浅啊！等五月回来一看，预定的紫色墙纸竟然成了白色，何止浅一点儿？

另一女友，打发老公去买一根窗帘杆，该老公无视满屋子的白色系，硬是买了根棕黑的杆子回来，钉在雪白的墙上，壮观如东非大裂谷。

一日猪感慨：原来装修这件事，是需要系统规划、分步骤实施的，我倒可以编个家庭装修程序，就怕没人会用。

我叹气：装修是系统工程，执行者最好具备 Windows 功能，多个窗口同时运行。但我自己就是个 Dos，一次就能开一个窗口。

猪笑拍着我的肩：你连 Dos 都不如，最多算个 Linux。

笑别人的时候尚能自嘲，可见我俩德行不坏，凑合着过个十年八载起码不成问题。

❹

朋友问我，你们家到底什么风格？

我说：没风格。

能有什么风格啊，我要实用，猪要浪漫；我要现代极简，猪要温馨怀旧。一路吵来的结果是，既保留了乒乓球台，又在墙上做了个电视保护框；既买了极简的板式家具，又在床头装了厚靠垫儿；家具如我所愿买了枫木色，墙面却向猪让步，保留了犹如失忆般的白；墙上钉着 CD 架，也钉着红酒架子——像威士忌与麻酱般风马牛不相及。

正如一段外遇之后的夫妻谈判：你可以出去混，只要不太过分；你未必要每天在家，但周末例外；你可以送别人礼物，但工资务必要交回家；你怎么折腾是你的事儿，但拜托别让我知道。

日子里本来很少有纯粹的黑与白，我们的日子里充斥着大片的灰。

猪说：示弱，可以赢得外遇大战；逞强，可以赢得装修大战。

我说：又不是两国争端，有什么强可以逞？你好我好和稀泥才是永恒真理。至于装修，管它什么风格，舒服实用最要紧；我们当不了大师，于是甘于当对儿平凡的夫妻，面带微笑地忙活于柴米油盐之间。

分什么是，分什么非？寂寞比原则更重要。

脱 衣 舞

睡眼蒙胧中,被猪的电话惊醒。

"晚上去看电影。"猪说。

"昨天我在装修工地盯了十二个小时,又冷又饿又困。今天我要写稿子、找人修马桶、整一个巨不靠谱的剧本,下午还有个采访。"我有气无力。

"今天是咱们结婚六周年纪念日。"猪说。

"我要睡觉,不要浪漫,"我冷酷到底,"顺便说一句,看电影太没创意。"

到目前为止,六年婚姻生活的折子戏分成三本,第一本是王家卫式的,无比煽情,俩人都不说人话;第二本是王朔式的,介于在乎与不在乎、明白与糊涂之间;第三本是周星驰式的,视一切严肃如儿戏,有笑料要笑,没有笑料制造笑料也要笑—有什么大不了的,又死不了人;如果真死了,就更不用费劲了。

不过,婚姻的版本也许跟悟性和耐性有关,有人一吵二十年,真执著,我觉得那不比结二十次婚容易。

王家卫版本时期,我们很认真地表演着送花、送巧克力、吃烛光晚餐的剧目,虽然味同嚼蜡,但它能在最短的时间内证明这一男一女并非纯洁的同志关系。当你不确信感情是否仍然活着的时候，它们能迅速地慰安我们的心灵，就像感冒时神经阻断型药物所做的一样，短、平、快。

现在，我厌倦了所有的仪式，并且过河拆桥地嘲笑它们——浪漫＝烛光晚餐？钻戒＝结婚？纪念日＝看电影、送花？别侮辱人类的想像力和智商了。

❶

下午，还是觉得享受比工作来得诱人，于是和猪一起泡"坦诚相见"的温泉。

看猪把自己扭动成不可思议的形状换衣服，我揪住他：你还没送我礼物。

温泉可能很容易瓦解人的肉体和警惕性，猪大包大揽：想要什么？

我：你跳脱衣舞给我看。

猪：我可以跳，但你不能写进博客。

为什么？

会遭人耻笑。

别担心，我说，认识你的人，早知道你的天分；不认识你的，你就是穿丝袜跳大腿舞也没感觉。

"为什么我要给你跳脱衣舞，你都不为我穿学生裙？"猪不甘。

"学生裙太短会露腿毛，再说你一直比我帅。"我拿出高帽子套得他分不清东西南北。

"人家都没有枪，《芝加哥》里跳舞都有枪的。"猪抱怨。

"也没有军装，人家的袖子都是一拉就刷的掉下来。"

"也没有礼帽，可以很帅地扔下台。"

我已经暗笑到内伤，很庆幸自己找了个如此闷骚的男人，否则四平八稳、道貌岸然，生活就少了很多歪门邪道的乐趣。

"发挥想像，我给你三十分钟，利用家里的东西当道具，绝对挑战，计时开始！"我继续"逼良为娼"。

我正看着书，听猪叫道：没有音乐啊！

"好办！"我边说边把一盘苏格兰风笛的 CD，推进电脑。

音乐一起，只见猪蜿蜒迤逦地扭将进来，手里握一物做手枪扫射状，细看，竟然是一红鸟牌液体鞋油的瓶子。

❷

这绝对是一场前无古人后无来者的脱衣舞。

风笛军乐的伴奏，猪打着领带、脖子上缠着铁链、穿一条运动裤，用瑜伽＋蒙古摔跤的姿势满场飞，时不时地还能看出 SM 以及太极推手的端倪，而且，竟然还有互动，猪伸手邀我同舞："我准许你吻我的手背。"我把嘴唇凑上去，然后结结实实地咬上两排牙印儿。

一件西装，一件休闲 T 恤，再脱下去居然是一件小白兔跨栏背心儿；下半身一样充满悬念，一条运动裤里面竟然是一条螺纹秋裤！我尖叫、拍手、飞吻，然后乐翻在床。

"为什么要看脱衣舞？"猪飞速地穿衣服。

"好玩啊，我们七十岁的时候还会记起今天，要是我们能活到七十岁的话。"

"娶你还要出卖色相，很亏的。"

"总比出卖金钱好，那样你会心疼。"

"幸亏你不要钻石。"

"我看不出那种小石头有什么价值，虽然它很亮。"

任何一个女人都可以找他要钻石，但肯定没人愿意看这个肌肉松弛的家伙跳脱衣舞，而且真心实意地叫好。

如果他懂得，最好；不懂得也没关系，反正所有的纪念日都应该独一无二。

❸

我拿出开瓶器，用力旋转，拔出橡木塞子，把金色的液体倒进两只小小的伊塔拉杯子，祝贺猪的处女秀圆满成功。拿起杯子来对着灯光看，精致的玻璃像冰棱一样纯洁闪烁。

我的加拿大冰酒，今天终于轮到它英勇献身了。

我们碰杯。

说点儿什么，我说。

祝你的结婚六周年博客写作愉快，猪说。

祝你继续是我博客的男主角，我说。

啜口酒，俩人一起抿嘴、瞪眼、点头：好喝！

为什么这么好喝？为什么叫冰酒？猪问。

我摇头：真是猪八戒吃人参果，暴殄天物。

猪不懂冰酒为什么好喝，他只是喜欢；猪不懂我跟别的女人到底有什么区别，他只是以无限的耐心纵容我的所有糟烂脾气与异想天开的怪主意。

懂不懂又有什么关系？如果跳脱衣舞可以让我笑，猪就毫不犹豫——感情方面，他是个表面鲁钝的高手，用最朴素的方法把所有的猜疑与误会化繁为简，把我从孤独的滚滚洪流中搭救上岸，为此，我感激他。

在上一个结婚纪念日，我为猪做了一个 PPT，上面说："春风再美也比不上你的笑，没见过的人不会明了。"

猪不会对我说同样的话，这与感情多少无关，只是我们分别属于不同的表达体系。

❹

一杯酒下肚，一切恢复正常。

我们又开始争夺笔记本电源，争夺被子，互相嘲讽，一个人怒发冲冠的时候,另一个会诧异:咦,你面部的肌肉会扭曲成这个样子啊,像一团用过的卫生纸。或者,猪又开始抱怨老板与我都在扮演欺压者的角色,但老板起码会为精神压迫付薪水。

就像《红楼梦》里王熙凤说的:第二天是十六,年也过了,节也过了,我忙着收拾东西还来不及,哪还有心情讲什么故事啊。

天天美酒加脱衣舞,除非我们发疯了,或者,中了彩票。

两两相忘

公车上，一女孩捅我。

看看，发现裙子侧面拉链忘了拉，从腋下直开到胯下。

微笑，道谢，然后不慌不忙地拉上，小 Case。

❶

我忘性超大，以至于常怀疑自己吃了假鸡蛋导致老年痴呆。

逛服装店的时候，常有导购小姐满面愧色地凑到我耳边道：您拉链没拉。

还有一次是裙摆尚塞在内裤中就满店乱转，污染视觉，忘了出来前应该拉拉平。

用过的更衣室，总能留点儿纪念，比如眼镜、包、瓶装水，甚至穿来的衣服。

我有二十多支不同的唇膏。每次用都忘了上一次放在哪儿了，所以只能继续不停地买。

买菜，经常给了钱忘了拿菜；去超市，出来后经常两手空空地走上一站地，突然觉得手里有点儿空：东西呢？

从这一点来看，我是个很善良的人，起码没拿了东西忘了给钱。

因为经常换工作单位，总记不清养老保险、医疗保险、公积金等乱七八糟的东西到底给我没有，到底转了没有。也就从来不记得跟雇主斤斤计较，凭这，我觉得自己怎么着也算半个优秀员工。

❷

这些还都是微不足道的。

我做杂志的时候，跟主编请假：我们家电熨斗好像忘了拔，一直烧着呢，申请回家。

主编大惊失色，差点儿就帮我叫了119。

我经过两小时的颠簸回到昌平的家里，插头果然还插着，但房子竟然还立着。

后来更加变本加厉。

晚上九点，猪突然在厨房惊声尖叫，我平静地看着他"花容失色"，问怎么了，他指着煤气灶说不出话来。早上七点钟，我煎了个鸡蛋后翩然离开，煎锅留在燃烧的灶口上，我回家后竟然还懵然不觉。

这类事情，竟然连续发生了两次。第二次没敢告诉猪。

家门钥匙，我和猪各一把。

某个夏天，倾盆大雨，我非要拉他一起去超市买卫生纸。门撞上的瞬间，他问：你带钥匙了吗？我说：咱们去借梯子。从物业借来了摇摇欲坠的梯子，我把牛仔外套蒙在头上抵御横扫的雨柱，爬上二楼锈迹斑斑的防盗窗，再翻到位于三楼的自家窗台，扒开窗，开门，全身湿透，曲线毕露。

后来搬到五楼，此类事情又发生了两次。第一次，是猪姐晚上十点冒着寒风送来钥匙；第二次，是猪的高龄老妈颤巍巍地助人为乐，顺手检查了一下我们家的卫生状况，并告诫我生活要规律，不要搞到脸色不好身体虚弱。

再破的锣都有响儿，再破的脑子也有记性好的时候。

某天，我在家，门铃震天。楼下的邻居拿着拔河比赛般粗壮的绳子要求入室，我说家里没什么值钱东西，我也犯不上用这么粗的绳子捆。邻居说是把自己锁在外头了，要求借用厨房阳台。我琴心剑胆，跟健壮的邻居媳妇儿一起，抓住绳子的一端，只见她那身材轻盈的老公从我家五楼的阳台纵身一跃，没了踪影——顺利空降到四楼去了。

事后，猪埋怨我虑事不周，要是有个三长两短怎么办？

我很笃定：放心，这次我记性很好。不但记得把绳子在自己腰上缠了两圈，竟然还记得在咱们家冰箱和洗衣机上各缠一圈。

❸

忘性也不是没有好处。

某次出门，忘了穿内衣，感觉竟然很舒适，从此以后，只要有外衣，基本就不穿内衣了。

因为常出差，我的东西忘遍世界各地：巴黎两条内裤，伦敦一件睡衣，斯里兰卡和南非各两百美金，菲律宾一个浮潜呼吸管，巴厘岛一套指甲刀眉毛镊子等修饰工具，香港一件风衣。而在从澳大利亚返回北京的飞机上，我想起那昂贵的、老店铺里买的巧克力全数存在悉尼酒店的冰箱里，做了下一任房客的见面礼。

直到某一天我突然发现：自己没这些东西过得也挺好。于是以后每次出差，不管路途如何遥远漫长，都拎一个手提包算数，长裤两条，T恤两件，外套帽子各一，已经是全副家当。如此竟然也无甚不便，旅途竟然轻松不少。

唯一一次例外，是在首都机场，到了办理登机手续的柜台，我惊觉自己的提包不见了：护照、美金、信用卡、手机、机票、相机，全数失踪。满身冷汗地奔回进关时的安检口，发现一个制服帅哥正从我的包里拿出一包夜用卫生巾，按压检查，看是否毒品或者炸弹。想是过安检的时候，人大摇大摆地走了，包就忘在这儿了。

❹

忘性似乎与年龄成正比。

T,曾经与我抵死缠绵。一刀两断的时候,我每呼吸一次,都会觉得内脏生疼。我从不记录他的号码,因为笃信一定刻骨铭心。可现在,我几乎连他的脸和声音都记不清楚了。他发来短信,我问:你谁?

M,他的文字像即将爆发的火山一样充满张力,他像疯子一样给我写了一封又一封情书。那时候觉得他是我一辈子都逃不开的阴影与噩梦。如今,我只依稀记得当时的震撼,却忘了因由。

L,我大学时代的梦中情人,前几年再见时,他已经发胖秃顶,我想了又想,也没记起当年为什么找各种理由给他打电话,听他胡说八道到凌晨也觉得幸福。

C,我记得我是把他给伤了,老死不相往来,具体怎么伤的,忘了。

甚至是猪,我似乎也忘了他如何背叛,我又是如何歇斯底里;手上的血洒了一墙;半夜去买包烟狂抽到凌晨,虽然我讨厌烟味,被呛得涕泪横流。

不能再写下去了,文字似乎有恢复记忆的功能。

一个船员问船长:"如果我知道某样东西在哪儿,可暂时没法拿到它,算不算丢呢?"

船长说:不算。

船员:太好了。您的咖啡壶在海底。

忘了不是丢了,忘了是我们把某样东西沉在海底,不予打捞。

我知道记忆可以快进,每一次播放,都会忽略其中的某些片断,日子久了,自己竟然也恍惚了,好像那些事情真的没有发生。

但奇怪的是,我仍然能记起那些曾经讨厌的家伙,可见人们更容易忘记幸福而念记痛苦。而且我怎么一点儿都没有"一笑泯恩仇"的心胸呢?想起这些小人,还是衷心希望他们能被"强奸一百遍啊一百遍"!

❺

好在有人忘性比我更大。

水晶，我的同事，某次出门时忘了穿内裤，小风儿一吹，裙摆飘扬——有点凉，自觉像《本能》里的莎朗·斯通。

另有一次去北大游泳，忽见一哥们儿，很拽的样子走进来，泳帽泳镜俱全，身上却一丝不挂。见者均大喊："出去！"哥们儿不解："为啥？"几乎全泳池的人都大喊："你忘了穿衣服！"哥们儿遂夹着尾巴逃跑了。我至今记忆犹新，那位哥们儿估计早已有意遗忘这件事了。可见人心不古，总能记住别人的苦。

我不准备纠正自己的忘性，我不酗酒，不抽烟，不吸毒，不滥交，所有发泄苦闷的办法都用不着，因为我善忘。这真是个惠而不费的办法，忘记日子里所有的痛苦，过得稀里糊涂也是种境界。

相濡以沫，不如相忘于江湖。

亡作之症

第二章

黑 色 幽 默

变化以毁的速度到来。

刚迈入第七年就痒得难以忍受，伸手一挠，挠破了婚书。

梦到离婚就离了婚，是否该叫"梦想成真"？

❶

圣诞节下午，阴天，我站在嘈杂的大街上对着电话里的老板说："我现在不能去开会，我要去离婚！"

大约半小时后，我和猪一前一后走向廊尽头走去，如同赶赴刑场。百十来号准新人，齐刷刷地向两边分开，以晚辈对前辈的敬畏眼神目送我们远去，就差齐呼一声"节哀顺变，一路走好"。

边走边佩服民政部门的幽默感：一条走廊，以结婚办事处开头，以离婚办事处收尾，好比把产房安排在医院入口、太平间安排在出口，一段婚姻的生老病死，只需要短短十几米的距离就可以走完。

奇怪的是，我心里并不怎么感伤，只是感慨中带着点儿迫切。就像被利刃贯穿胸背，第一个感觉不是疼，是彻骨的凉，倒下之前还来得及大喊一声：

"好快的刀！"

一慈眉善目的保安站在走廊尽头离婚办事处的门口，笑容暧昧地看着我们，好像已经把这个看透世事的表情保持了一万年。

我俩特有礼貌地冲他回笑："我们，想离个婚。"就跟去菜市场跟小贩说"劳驾，给我来二斤猪肉"似的，流利自然，估计俩人在瞬间都对彼此产生了怀疑：这家伙是不是已经把这句话在心里演练一千遍了？

小伙子熟练地递给我们一张背面有文件的手撕纸条，上面的数字是"16"。

趁着等待的时间，我们清点了一下牛皮纸袋子里的各色文件，一段男女关系要想合法地走向终结，必须通过它们毫不含糊地证明：身份证、户口本、结婚证、离婚协议……

"哎，我好像忘了带两寸照片。"我像往常一样惊叫。

"你能不能长点儿脑子？"猪比往常更加不耐烦。

好在这座大楼为急于改变生活状态的忙人提供了最大方便——不管你选择结束单身，还是重归单身，只要交上二十块钱，就可以在十分钟内拿到证件上的照片。

走进照相室才知道，原来离婚照与结婚照共用一块大红的背景板，不同的只是前面凳子上的人数是一个还是两个。

我坐下来，习惯性地对着镜头微笑。

"严肃点儿。"给我照相的中年男人的表情比我还肃杀。十秒钟之前，我还亲眼看他鼓励一对笑容僵硬的准新人："近点儿，放松点儿，笑得再开一点儿。"

我很配合地瞪大眼睛闭紧嘴。白光一闪，我生命中一个重要转折点的光辉形象从此诞生。

照相男迅速把照片传进电脑，供我在屏幕上挑选。我坚持选微笑的那张，他语重心长地说："不行，不够严肃，你得选这张。"他指着另外一张，那上面的我一副标准的悍妇嘴脸，一脸的宁死不屈。

不容我反驳，师傅已经飞快地点击了"打印冲洗"，"听我的，离婚绝对是件大事，必须得严肃点儿！"

我还能说什么呢？原来以为只有遗像这东西由不得自己做主，现在才发觉所有的倒霉事儿都由不得你做主。不过，当别人比你还起劲地演绎着你自己的悲欢离合时，除了忍俊不禁，大笑几声，还有什么更有趣的办法呢？

❷

回到离婚办事处门口，再次清点各项证明材料无误之后，终于放下心来。蓝色塑料椅子空出来一个，"坐！"猪说。于是我坐下，安静地扫视四周。

来之前不是不好奇，不可思议的是竟然还带着点儿兴奋——那感觉就像小时候终于有机会跟着大人去趟神秘莫测的火葬场——不同的只是这次是要跟冰冷的"感情遗体"来个临终告别。

离婚办事处门口没有半点儿想像中的肃杀气氛，除了门口挂着的牌子让人充满想像之外，一切都平凡得如同无数座办公大楼中的无数个办公室。想起大学时心情激动地抱着花束骑了老远的自行车去看一个身患绝症的亲戚，准备生离死别、荡气回肠一把，等到了才知道：原来癌症病房也充满了饭菜味儿、体味儿，以及相关人等的嘻嘻哈哈唠唠叨叨。人生不过是出肥皂剧，悲壮与凄美原来都是电影里、书本里拿来蒙人的把戏，无数人生命里似乎了不起的大事，像气泡一样，就在一个又一个这样黯淡背景里悄无声息地冒出来，发出只有自己才能听到的轻微的啪的一声，之后归于幻灭。

比起不远处挨挨挤挤等待结婚登记的队伍，等着离婚的堪称少数派，只有寥寥数对男女，一目了然：

一穿长大衣、拎 LV 的大姐，身边站着一个年貌相当的男子。该男子好像怕得罪谁似的，脸上始终带着有分寸的微笑。只听 LV 问保安："到几号了？""13。""离个婚怎么也这么慢？效率太低！"LV说罢就像征集意见一样把眼光四处扫视。见她身边的男子仍然保持着似笑非笑不吭声，我只好见义勇为地与其目光进行对接并微微颔首表示认同，并爱莫能助地摊开手，让LV成套的唠叨渐渐淡出耳膜，收回神来聆听身边另一对分飞燕的"临终告白"。

女声（嗓子像被什么东西堵住一半，相当的低，稍带哽咽以及中原一带的方言）：对不起啊。

男声（沉默一阵，也用同样低的音频回话）："都快分了，还说这些干什么？"

一阵沉默。

男声："以前，我有什么做得不对的地方，你就原谅了吧。"

女声："不对。是我不好。"

又一阵沉默。

男声："以后，你照顾好自个儿。"

女声："嗯，你，也一样。"

再次沉默。

男声："不管咋说，咱还过了这些日子。以后有事儿，还能找我。"

女声："不用了。"

终极沉默。

终于听到最应景的离婚对白了，在这么一个阴冷的冬天，在这么平庸缺少气氛的楼道里，听起来简直不像真的，而像电视剧。我与猪没心没肺地相视而笑，然后用眼角的余光偷瞟那对言情型离婚的主角：一年轻女子，穿件超市里常见的黄色抓绒衣运动鞋，梳个辫子，一年轻男子坐在她身边，衣服裤子的款式模糊，两人都低着头，像参加葬礼时默哀一样。

楼道里的悲凉气氛没延续太久就被改写了。突然，一阵嘹亮的皮鞋声呼啸而至，一个穿着海军制服的人影从我们面前掠过，同时掠过的还有他那和皮鞋声一样嘹亮的嗓门："告诉你，离开我你就得求我！"

可叹我们死到临头八卦之心仍然未改,立即把头随着海军制服的身影旋转,这才注意到走廊尽头还有一短发女子正撅在桌子边儿伏案疾书,只见她头也不抬、声音洪亮地回喊:"我求你干什么?"

制服再次高喊:"一个人闲着也是闲着,你说你求我什么?"

短发则以大笑表示蔑视,"哈哈,就你,你也真好意思提!"

制服男志得意满之情丝毫不减,"告诉你,求我也没用。信不信,前脚出了这个门,后脚身后就得有一群小姑娘追着我跑!"

短发再次仰天长笑,却仍不停笔,"你也得跑得动啊!"

我和猪再次不约而同地对视,然后做仰天大笑状,当然,不出声音,以免被这对生猛的准前夫前妻杀人灭口。我想,要是别人非逼着我交代为什么爱情死了婚姻还能延续下去,我好歹也能熟练地连眼睛都不眨地说:靠幽默感啊!越没心没肺越管用,比有胸无脑都管用。一边说,一边还能语重心长地拍拍对方的后背,表情诚恳到他相信为止。

也许真的就因为这点儿劫后余生的幽默感,我们能一起过上七年,而且许多日子都还算得上愉快。

生活的情节真是跌宕起伏,不容我走神太久,短发已经抓着两张纸大踏步地走到海军制服跟前:"看看。"海军制服把手一摆,"用不着。"短发啪地把纸贴在制服脸上,"看清楚点!"

制服一把将纸扯开,正欲有所动作,短发已经接着电话消失在走廊的另一头,速度快得让我们这群人只有把拳头放在张开的嘴里表示惊讶的份儿。

凑过头去用眼睛瞟海军制服手里的纸,就像在地铁里偷瞟旁人手里的报纸一样,看的和被看的都心照不宣,只见上面赫然写着巨大潇洒的行草:离婚协议书。

原来是到这儿之后才照着桌上玻璃板底下压着的范本起草的离婚协议,真是滚滚红尘趁着情未深何不潇洒走一回!

都说人生如戏。我极佩服这些投入而卖力的演员，随时随地进入状态，快意恩仇壮怀激烈，没有他们的演绎，生活不知道得多乏味。

❸

猪忽然把手里的电脑包往我怀里塞："我上厕所。"

我往外一推，"不管。"

猪嗤笑一声，自己走了。

片刻静场。

LV 大姐义不容辞地率先打破沉默，冲着海军制服一努嘴："你们为什么离呀？"

海军制服："人家是电视台的大记者，人进了那个地方，哪个不得离个三次五次的？"

此时只听门吱呀一声，一对"旧人"走出来，各奔东西。保安叫："十四号！"

就见那对言情夫妻凄凄楚楚地站起来，男的替女的推开那扇门，俩人的脚步却都没有迟疑。

门在他们身后关上，走廊里的人们安静了片刻。

LV 饶有兴趣："那你们结婚几年了？"

制服："刚一年多。"

LV："够短的啊！"

制服："我俩都是二婚。"

LV 深表理解，"哦……不好磨合吧？"

制服愤愤不平，"现在又嫌我个儿矮，又嫌我有孩子，又嫌我一个月才赚二千块，可这些当初人家介绍我们认识的时候她就都知道啊，现在才跟我闹，咳，还不就是因为外头有人了！"

"外头有人了"之话一出，我再次笑倒，因为想到了电视剧里弃妇的标准台词。

"哟,那你没争取争取?"LV道。

制服:"争取吧,咱力度不够争取不过来;眼瞅着一个女人堕落吧,又不忍心,干脆拉倒吧,眼不见心不烦!"看表情这已经不是"把阑干拍遍"能解决的了,把阑干拍断还差不多。

"哎,你们为啥离婚?"制服反问LV。

"分居时间太长,跟离婚也没什么区别。离了大家当个朋友,没准比现在强。"LV回答。微笑男仍然保持着笑容,弄得我以为他刚从海拔八千米的山上下来,脸上的表情都被冻住了,好悬没管住自己的腿,上前一步揪住他的两腮抖动一阵子以帮其恢复正常。这简直是一场麦克风与回音壁的联姻,不知道谁比谁更寂寞。

"哎,你呢,你为什么离婚?"

LV突然用下巴指向我,就好像突然发现幕后有个蹭戏看的小孩,她必须得把这个孩子推到前台来表演一番,才能让诸位打把式卖艺的演员们心里平衡一下。

我皱着眉头想了一下,"这个嘛,他变态。"

楼道里的气场瞬间微妙起来。我坐在凳子上,晃着腿,饶有兴趣地看着大家的表情,就像他们饶有兴趣地看着我一样。

"那个,怎么变态呢?"一片寂静之中,LV的声音再次响起。

我嘶地抽了口气,眼睛看着天花板,很努力很努力地想,然后自暴自弃地咳了一声,肩膀一耸,两手一摊:"就是不正常呗。"

那一声悠长的"嘶",就好像钢线,把人们的好奇心吊到了半空;那个"咳"就是把大剪子,把钢丝拦腰斩断,装满好奇心的钢水包咣当一下砸在地上,钢水横流,余温仍然灼人。

"不会吧?"LV皱起眉,"小伙子看上去诳老实的啊。"

"人的表面和内心总相反,这是一切悬念产生的源泉。"我情辞恳切。

"哦——哦!"所有人都让自己的声音若有所思地拐了一个弯,同时向后弯的还有他们的脖子。

"那,你们结婚多久了?"像所有四十出头的大姐一样,LV 觉得自己有责任继续帮助身边的年轻朋友敞开心扉。

"快七年了。"

"你们这么年轻,结婚真够早的!"

"不年轻,都快三十了,标准的徐娘半老。"

突然想起记得中学时口吐狂言,号称"人到三十岁就可以死了"。等真到了这个曾经遥不可及的年纪,发觉自己砍刀、板砖、绊马索统统挨过,尽管伤痕累累,但仍然死皮赖脸地活着,并且打算把那句不知天高地厚充满志气的话咽回去——这就叫做"食言"吧!而从二十三岁到二十九岁,我生命力最旺盛的六年,就在这场婚姻中不知不觉地消耗掉了,就像一条湍急的河消失在沙漠里,留下干涸的河道,注定随着岁月的流逝日渐模糊,直到某一天,被流沙掩埋。

"那,你们,过得怎么样?"LV 继续语重心长地问。

我知道她其实更想拍着我的肩膀问:"喂喂,跟一个变态生活在一起感觉如何?"于是我很老实地说:"一开始,还好吧。"

"开始的时候谁谁不好啊?不好就不结啦。"LV 感慨。

"可是结了就不好啦!"海军制服依然愤愤。

LV:"因为不好所以才离呀。"

制服:"要是早知道这样当初还会不会结?"

"会吧,不然你为什么结两次婚?"我很不知死活地说。

"我不是傻吗?我不是以为会不一样吗?"制服用鞋后跟磕着地,"谁知道全他妈一样啊!"

"那你说，他们知道吗？"我学着 LV，用下巴指向走廊那头蜿蜒着的队伍，队伍里全是拉在一块儿的小手和迫切中稍带紧张的笑容。在我眼里，这些男女突然全部变成了穿着清一色灰蓝色工作服、剪着清一色寸头，面目模糊的犯人，焦躁不安地等候着命运的某一次判决，判决他们与某某结为夫妻，即日执行，从三年五年到无期死刑——刑期不等，根据表现可获假释或者提前刑满释放，或者终生监禁。服刑的滋味，要看与关在同一号房的异性犯人是否意气相投，还要看是否有别的犯人哭着喊着撬窗砸门地非要进来插上一腿——反正一个号房按规定只能关一男一女，所以他们只能用"锤子、剪子、布"，或者比这更严肃的方式决定谁走谁留。

"屠宰场里的猪排队上流水线之前，它们知道自己会死吗？"LV 撇了撇嘴唇说。

大家都笑了。

猪晃晃荡荡地从走廊那头走过来，问我："几号了？"全然不觉周遭人等正用抽丝剥茧的眼神研究他——变态狂人不容易遇见啊，尤其是看起来这么正常、隐藏得这么深的。

"快了！"我打了个哈欠。

门一开，那对悲情男女终于走了出来。我这才发现原来 LV 的下巴是个指南针，只见她把它对准微笑男，再转向那扇门："走吧。"

走廊里重归沉寂。

猪坐着出神，我则看着他出了神，心想："其实弱智是不能算变态的，但我总不能跟人家说你弱智呀！"

手机铃声突然震天动地。

"最近怎么没消息了？忙着外遇，还是忙着离婚？"朋友木夏的声音传来。

"离婚。"

沉默。

"开玩笑吧？"

"我的笑料还没贫乏到这份儿上呢。"

"为什么？"

"表面上，他外遇；本质上，不爱了。"

我这么优秀一女性他愣是不爱了，一转脸就追随别人而去，这不是弱智还能是什么呀？虽然弱智不能算变态，可比变态还没技术含量——此时此刻，我对自己的逻辑非常满意。虽然明知道只要伸出一只手指轻轻一推，它就会应声而倒，可我却将其窝藏起来，拒绝交出。要知道，对于一个虚荣、骄傲、单纯，色厉内荏而且一帆风顺的女人来说，一不留神做了弃妇是件非常非常可怕的事，我可不觉得这是个公众场合的好话题。

就像你一直走得趾高气扬虎虎生风，还不时指点一下别人的走路姿势，突然之间不知怎么左脚就绊上了右脚，自己一头栽进烂泥塘，好不容易才爬起来，别人却兴致勃勃地盯着你的嘴问："喂，你的门牙怎么没有了？"

你是不是宁愿回答"被天上突然飞过来的陨石砸了？"

当然啦！因为这样比较有趣嘛，谎言总是比真相有趣。

❹

门再次被打开，LV与微笑男一前一后地走出来，还没忘了对我们点头微笑致意，之后从容地离开，就像离开任何一间无关痛痒的办公室一样。没人能从他们的脸上看出任何变故，除了他们自己。

一个朋友曾对我说：他年轻的时候，怎么也想不明白，为什么人人晚上都要上床做那事儿，可一到白天就全都看不出来了呢？他曾经努力地要在每个人脸上搜索到夜晚激情留下的一点点痕迹，奇怪的是什么也找不到。

人没有水母一样的透明结构，在某些时候，是件多幸运的事儿啊！只要你不说不叫，不哭不闹，谁都会相信你一切正常，好得不能再好，谁知道你是刚卖了两升血,刚摘了一个肾,还是刚切下半扇肺叶呢。

我攥紧肩上的背包带,站起身来,猪也一样。终于轮到我们推开那扇门了,我竟然有点儿兴奋,迫不及待地想看看这个婚姻生活的太平间里是怎么让人不寒而栗的。

没想到里面平静得很,一样的格子间,一样的灰色调,一样面色平淡的工作人员,一点儿酝酿情绪的条件都不给,真让人失望。一个年纪轻轻的姑娘指着她面前的两把折叠椅让我们坐,并告诉我们要先进行调解。

"能调解我们就不来啦。"猪说。

"可这是我们的工作程序。"

"姓名?"

"结婚证上有。"

"可这是我们的工作程序。"

"年龄?"

"出生年月日?"

……

结婚是个程序,离婚也是个程序。程序是个好东西,把复杂的问题简单化;它只管从无数有血有肉的事实中总结出不容置疑的规律,然后像斧子一样,斩断你无论多么九曲回肠、矛盾反复、欲说还休、枝繁叶茂的感情,留下冰冷的、赤裸的结果。

"你们是自愿离婚吗?"

"是。哎,是吧?"我用下巴点着猪。

"是。"

"你的精神正常并且具有完全民事行为能力吗?"

"当然。"我说。

"对方,"办事员指一下旁边的猪,"精神正常并且具有完全民事行为能力吗？"

我上下打量了一遍猪，之后摇头，"这个我可说不准。"

猪笑。

一旁的隔断里，传出另一段问讯。

"你们是自愿协议离婚吗？"

"绝对自愿，她主动提出并且强烈要求！"

海军制服慷慨高亢的声音响起，我和猪相视而笑。

"你的精神正常并且具有完全民事行为能力吗？"

"绝对的！"

"对方精神正常并且具有完全民事行为能力吗？"

"那我哪儿知道啊，你得问她自己呀！"

我和猪再次弯腰窃笑。办事员不笑，一点儿也不认同我们的幽默感，估计她什么阵势都见过，早没激情了。

按部就班地出示证件，填各色单子，再看一遍早就写好了的离婚协议。确认、签字，一边签一边互相嘲笑对方的字写得难看。最后，交出保存了六年的大红的结婚证，再看一眼上面的结婚证件照。照片上的我面如满月贤良淑德；猪眉开眼笑心满意足，算不上金童玉女好歹也能算得上安善良民，丝毫看不出有要离婚的征兆。

"撕了吧？"我说。

猪又看了照片一眼，屋子里响起纸张破裂的声音。两份能充分证明一对男女拥有合法同居权而并非不法交易的庄严证件，瞬间被我们亲手撕成碎纸片扔进垃圾桶。取而代之的是另外两个小本，分别贴着各自的照片，暗红的封面上印着三个大字：离婚证。

突然想起两个多月前做过的"离婚梦"，看来没有经历的想像的确能脱离实际——原来离婚不需要做选择题，只做填空题就行了，比做梦都简单。

离婚协议一式三份，双方各留一份，离婚办事处存档一份。起立，道谢，对视，有点儿奇怪：眼前这个在一起睡了将近七年的家伙从此之后就是陌路啦？原来男女之间的感情就像黑板上的粉笔字，说声"不要"就可以几下子擦个干净；一下子擦不干净不要紧，时间总会把它抹得不留痕迹，也许，飘落在记忆里的粉笔灰偶尔会跑出来呛得人咳嗽、打喷嚏，不过没关系吧，反正咳嗽几下又不致命。

海军制服他们已经离开了，一大姐正在对另一对谆谆教导："孩子的抚养权都没问题了？"

女声："归我。"

大姐："抚养费？"

男声："我出。"

大姐："你们考虑好了，将来的医疗、学费什么的，可是不少呢。"

男声："考虑好了。"

……

幸亏我们先知先觉，没有孩子，在父母面前做罪人状抽打自己的嘴巴即可，用不着在孩子眨巴着的纯真无辜的小眼神里再哆嗦一回，不亦快哉。

❺

起身，推门，走出大楼，我拉了拉领子，北京的冬天真要命，天色阴沉，像狗鼻子一样又湿又冷，偏偏又不到下雪的时候。

"你去哪儿？"猪问。

"去开会。"

"不吃顿散伙饭？"

"没兴趣演言情片。"

不，我想猪是不会演言情片的，言情片需要精致的道具和昂贵的氛围。

我又实在没兴趣和他在某个嘈杂的小饭馆里叫上两碗面条，在污渍斑斑的玻璃杯里喝混浊温吞的啤酒，细数过去的点点滴滴，说到动情处没准还"执手相看泪眼，竟无语凝噎"。

"那，送你一段儿？"

"谢了。"

我拉开车门，习惯性地坐到副驾驶的座位上，然后，就傻了。

小小的车子已经变成了一块前沿阵地，摆满了塑料梳子、小星星发卡，水晶心形贴纸等零碎，以及一只绒毛兔子。在离婚谈判开始前，我曾看见这只兔子被隐蔽在后备箱里；如今，作为"白雪公主"的代言人，它终于得见天日，宣告另一个时代正式到来。

我放下前风挡玻璃上的遮阳板照镜子，因为我的确很想知道，哭笑不得到底是什么表情？

在我英勇的母亲和女友们看来，我这一表现就像日本没有举国赴死而是举国投降一样令人费解。我必须承认：自己是个特别虚荣、特别懦弱、特别骄傲的家伙，并不打算为一个男人和另一个女人厮打，搞得自己头破血流。

现在，猪可以开着这辆斗志昂扬的车子前去迎接他的女统帅；而我则不得不承认：我们其实完全不是同一种人。实际上，在这段婚姻开始之初，我已经对此隐隐有所察觉，只是人总会在某些重要时刻对某些重要事情突然变得特别迟钝——这大概就叫做命运。

一路无话。除了几个电话。

我向老板表忠心：婚已经顺利离完，马上回去开会——要是会还没散的话。男人跑了，工作总不能再丢了，我并不想过一个史上最惨的圣诞节。

猪则向"新人"表忠心：婚已经顺利离完，可以马上过去团聚——旧人已经主动下堂，这个捷报需要俩人共同庆祝。

坐在会议室，我掏出记事本，翻开写着"十二月二十五日待办事项"

的那一页，刷刷几笔划掉"上午十点电话某某"，划掉"超市买盐一袋"，划掉"给某某杂志写两千五百字某某稿子一篇"，划掉"下午三点海淀民政局离婚"。老板探过头来问："你没事吧？"我璨然一笑："能有什么事啊？"

过去人家都说：脑袋掉了碗大的疤。

我摸摸脑袋，健在！所以更加没什么是值得痛陈并且引人同情的。

夜色里，我走了两站地，走向灯火通明的地铁站。上了车，一路摇摇摆摆地站着，累极，很想上前拍一魁梧男士的肩膀："朋友，您能给新鲜的离婚妇女让个座吗？"后来想想还是算了：孕妇尚且没人让座，何况是弃妇？

于是，我把一只脚踩在另一只脚上，左手插进口袋，右手拉住吊环，把头靠在胳膊上，列车的喧嚣声音似乎渐渐遥远和沉寂，这种感觉无比奇妙，我认定自己正坐着穿梭机穿越时光隧道，黑暗中，那些花红柳绿的往事，还没容我一一看清，就呼地一下从身边闪过，就像地铁站里色彩斑斓的灯箱广告，在飞驰的车窗里虚晃一枪，就被远远地抛在了身后。

在这天过去很久之后，偶尔上网查些东西，误打误撞上了某个音乐网站，里面有李克勤的曲子，叫做《纸婚》，我很奇怪，世界上竟然还有这样的歌——

逐渐丧失 亲密磁场

有盏红灯 凄然的发亮

而你仿似正怀疑你

多来年同行伴侣 并未达理想

想扮成 无事故 岁月如常

但我知 其实你 不想

再对着我 抱着我 亲密如常

去年还 承诺过 贫穷和病榻

都奉陪 陪着我 上路离场

但那些 其实纸一张

以爱情来 填满的

用年华 维系的

纵是银或金或张白纸

依然完全没保障

明明约好了 开办农场

要当儿孙 将来的偶像

来到今晚 变成惆怅

原来从前大计 薄弱像妄想

陌 路

女人能在男人那里享有特权，靠的不过是这个男人对于她还有欲望和感情。没有欲望和感情这两条绳子拉着，中间是七年或是二十年全不算数。我们成了陌路。

"你要喝点什么？"猪在电话那头问。

我一手拿着手机，一手指挥着工人在客厅中间放置一张乒乓球台，"咦？今天怎么突然变天使了？哎，再往左挪挪。我要——啤酒！青岛的！"

此前我们已经冷战多日，我对猪的殷勤感到惊喜。看来我的矜持发挥了作用，还是他先低了头。

猪进门，手里不仅有啤酒，还有花生和豆干，连下酒菜都预备了，这份细致不像他平日的作风，然而我管不了那么许多，因为正被胜利的云雾飘飘然地托了起来。

"来，我们开一局！"

我跑到球台的另一边。

猪站着，不说话，也不动。

"快点儿快点儿。"我跑过去往猪的手里塞上一把球拍，又跑到他对面。

"开球啦！"我拉开架势就是一板。猪却随手挥了一下球拍，脚都不挪一下，球嘣嘣地在木地板上弹着滚开去。

猪不动，我跑过去把球捡起来，再开。

猪有气无力地接过来。

"好烂，你没吃饭么？"我回过去。

猪耷拉着肩膀，像断了线的偶人，晃晃荡荡一甩手，又落了空。

"喂，你怎么搞的！到底想不想玩？"我喊着，怒气渐渐上来了。

猪还是不动，背着落地窗站着，是个深灰的沉默的影子，拉长了，无声无息，没有表情，衬着冬天窗外铅色的层云，他成了个陌生人。

我狠狠地再挥拍，橘黄色的球直奔着对面的人去了，像颗子弹，啪一声打在"影子"的腮帮子上。

猪把球拍放在球台上，叹口气，坐了下来；肩膀耸得比头高，两只胳膊放在台面上，两手手指交叠着握在一起，两只大拇指互相绕来绕去的。身子弯得像一张弓，又像一尊黑铁塑像，异常沉重，散发着阴森森的冷气。

"你到底怎么回事？"我终于觉察到了什么，屏住气再问。

还是没有回答，猪的脸就像外面层云密布的天，似乎马上要飘下冰雪来。他看着桌面，眼神游移。这眼神把我推了个跟头，直推出十万八千里之外。

胸脯猛烈地一起一伏，嗓子被一口气哽住了，噎红了眼睛——我以为自己受了莫大的委屈，但并不想在眼前这人面前显出软弱的样子，于是扔下球拍，冲进卫生间，反锁了门，趴在门上——半晌，没人敲门。我明白得自己出去要个结局。

猪此时正在挂窗帘，非常专注。

我走到他背后拍他的肩膀，"喂，谈谈。"

他没回头，"等我忙完。"

　　我擦干净两个凳子放在乒乓球台边，之后坐下来估算着最坏的结果。大学里的某个夏天，政治经济学考场上作弊被一个五官肿胀的胖女人当场抓住时，也是这样。

　　"说吧，怎么回事？"我打开一罐啤酒。

　　"咱们，离婚吧。"

　　像是从摩天大厦上跌下来，我一边坠落着一边还怀疑这坠落并不是真的；时间似乎静止，我以慢动作一路往下坠，嘈杂的世界突然无声了。啤酒在嘴里忘了咽下去，我从没喝过这么涩的东西。

　　"为什么？"

　　"我爱上了别人。"

　　砰的一声，我沉闷地砸在地上，这才相信自己是真的从大厦上跌下来了，不是做梦，周围的声音渐渐清晰起来，不再是蒙蒙的了。

　　也不是没有疑心过——周末冒着六级大风与沙尘暴突然说要去加班；对着电视微笑，我说了半天话仍然没有反应，推他，像在梦中被惊醒，吓了一跳，但颇恼怒；浴室里突然多了另一种牌子的洗发水，手里换了一部粉红色的手机；吃完饭一个人站起来就走，我似乎只是拼桌吃饭的陌生人。

　　我拉住他询问，他不耐烦，于是越说越气渐至争吵。"分开一段冷静冷静也好。"他突然说。"那不如干脆离婚。"我转身背对着他说。他不说话，只是叹气。"你还爱我么？"我问。"不爱。"他说得短促坚定，像出了口气。"你呢？还爱我么？"他问。"就算有爱也要把它掐死。"我狠狠地说。当初以为自己爱上他，也不过是因为相信他爱我。

　　两个人都沉默了。他没有认错，也没有抱我一下表示和解——像从前那样。床只有一米四宽，但我们之间仿佛突然多出了一道无比宽阔的深渊。人分睡在两个山顶，山上的夜空而冷，能听见彼此遥远的呼吸，但我知道那起伏从此和我无关了。

　　此后两个人都小心翼翼，似乎是两个罪犯想绕开埋尸的地方。他来接我下班，我送他一件大衣，好像什么都没发生。

　　我又疑心起自己从前的疑心，以为事情或者还可回旋。

　　我没失败过。

　　没失败过的人，即便失败摆在眼前，也还是不太认得出。

　　人拥有某种本能，本能地拒绝承认自己看到的某些东西。

　　我的本能在发挥作用。

　　我攥着啤酒，脸不断地抖，因此说不出话。

　　"离婚"两个字，从前我也嚷了多少回，但走到老板跟前递辞呈是一回事，被叫进办公室直接宣布有新人接替，你被开除是另外一回事。

　　"你说什么都没用，我已经决定了。"猪的声音犹如零下四十度时被挂在绳子上的冻鱼，梆硬冰冷，泛着青光，毫无一丝生机和感情。

　　"爱上多久了？"我像得了疟疾一样不停地打摆子，于是紧紧地顶在球台边上。

　　"大概一个月。这跟时间长短没关系。"猪皱眉，脸上瞬间浮现出三个字：不耐烦。

　　"我暂时没法理解你，但是，我答应你。"我听见自己说。

　　多说无益，最好退场，就像在拳击台上被人打中太阳穴后慢慢站起来扶着绳栏往外走，头还是懵懵的，反应不过来。

　　"谢谢。"猪如释重负。

　　我笑："没办法，谁让我这么骄傲。"

　　"她也骄傲。她的同学都叫她公主，可是她对我谦卑。"

"我脾气太烂,以前多有得罪,但抱歉我改不了。"

"她也骂人,但是从来不骂我。"

"也许她是仙女下凡,但这与我无关。"

"所有的财产都归你,我什么都不要。"

我不语,因为太超越人性的承诺都不可信。

"我们拟份离婚协议。"他说。

"你写,我签名。反正我什么都不懂。"

"可以。"猪松口气,"收拾一下你的东西,一会儿我帮你搬走。"

"对不起,我没听懂。"我盯着他的脸。

"离婚之后我住这儿,你住旧房子。"

我盯牢他,"你觉得这合适吗?"

"我很喜欢这房子。"猪说,充满感情地环顾四周。

"我也不讨厌它。"

"它离我上班的地方很近。"

"那是你的事。"

"你拿现金,住旧房子,可以过得很舒服。"

我冷笑,头脑一下子清晰起来。天要下雨前夫要换人,我没办法;可独守一间充满往日气息的空房——我还没豁达到这份儿上。

"我不善理财,不开车,也不想一个人住郊区。"我说。

"你可以再考虑一下。"

"你是不是觉得,带着新欢住进前妻装修的房子很有成就感?"

"我并不打算马上结婚。"

我喝口啤酒,四处张望,"一个人住应该很舒服。"

猪呲着牙露出笑容。"是啊。"他说。

我笑:"别自作多情,我在憧憬自己的单身生活。"

"除了这栋房子,其他的都可以给你。"

"除了这栋房子,你还需要分我一半的财产。"我断然。

"我需要考虑。"

"最好别考虑太久。夜长梦多。小心把好端端的友好挥别弄成鱼死网破。"

"你可以先整理一下这儿的东西。"

"没必要。"

我抬起下巴,看着这个男人变得又远又小,像站在天边儿的地平线上。"知道么,"我说,"一个人不能占尽天底下所有的便宜。"

后来的某一天,比我早离婚的女友葡萄真诚地让我考虑破镜重圆。

我断然拒绝。一对离了婚的男女怎么还可能接吻、做爱、把自己家门的钥匙交给对方——在他们为争夺每一枚铜板而张牙舞爪之后?

手机铃声突然响起。

"我有事先走。"猪匆匆挂掉电话。

看着他走到门口开始穿大衣,我莫名惶恐:就这么完了?夫妻做了这么久,三言两语就结束了?我突然不能接受这种荒诞。

我猛地站起来,差点掀翻啤酒罐子,嗳嚅了一阵,说出了最可笑的台词。

"唉",要命的是还先叹了口气,"爱情和婚姻不是一回事。"我听见自己空洞的声音像烟灰一样,轻飘飘地掉在了地上。

"也许你说得对。"猪对着镜子系纽扣。

"我以为婚姻是稳定后方,有了它我们就可以出去冲锋陷阵。"我继续结结巴巴地说。

猪开始穿鞋。

"就算娶个仙女都要慢慢磨合。能磨合这么久,我是说,能找到一个适合生活在一起的人并不容易。"我像背书一样望着天花板,把手背在身后,靠着墙。

"我知道。"猪拉上了背包的拉链,"后果我自己承担。"

"我只是觉得可惜,已经这么久了。"我试图找到些更有力的言语,可嘴里说出的话却苍白无比,稀薄得犹如冬天室外呵出的白气,瞬间消散。

"如果只是过日子,你是个还算不错的伴儿,可惜我已经没激情了。"猪开始围围巾。

"生活本来就乏味,我已经努力让它别那么苍白。"我在不知不觉间开始摇尾乞怜。

"我没法抗拒爱情。"

"爱情是虚无。"

"我以前也这么想,现在才知道自己错了。"

"你能保证这次的爱情是永不消逝的电波?"

"将来的事谁也说不清,就像咱们俩。我只知道,现在,起码现在,我很幸福。"

"什么叫幸福?幸福就是七年的生活被一个月的爱情冲垮?"

"你很好,都是我的错。"猪照了一下镜子,拉开门走出去。

我站在原地,保持着同一个姿势,很努力地想把整件事梳理明白,尽管它看上去明白得不能再明白。

当一个男人说:"你很好,都是我的错"时,背后的意思都只有一个:"咱们别废话了,你觉得有这必要么?"把所有骂名都揽在自己头上,同时把你当成完人举到了供桌上,还要怎么样?

不是不想失控,不是不想尖叫着扑上去打个你死我活,只是突然间被这句话卸了力气。

我试着仰天长号,然而刚开了个头就戛然收声,我被自己给荒诞到了。

当男人说出"不爱"的那一刻,任何女人都会丧失特权——变成别人、不相干的人，一个陌路，他怎么会与一个路人多费口舌？此时最好敛息屏气——前面或许有很长的路要独自走过，不留些力气是不行的。

下午原本约了朋友木夏聊剧本，也觉得没有改期的必要。

"他要和我离婚。"我攥着酒瓶，尽量平静，但声音还是着凉似的抖，红了眼圈。她像是比我更意外和激愤，滔滔地骂着为我出气。我们并排躺在乒乓球台子上感慨。但剧本还是要聊的，时间也还是要赶的，这世界上的事似乎永远比人重要，所以才会有那么多人以身殉职。

朋友在此时也不过是陌路，左绕右绕走不进自己心里。但因明白，所以并不失望。

小时候出去疯跑，姥姥总絮叨说回头摔烂了膝盖又要哭，那时"可没人替你疼"。

自己的疼，自己的生命，无可取代的，是苦趣也是乐趣。

过了一星期，我们领到了离婚证；又过了一星期，我们搬离了原来的家，分道扬镳。

分手像雪崩，迅速而彻底地掩埋了一切痕迹，偶尔会发现一张尚未来得及焚毁的合影，或者对方忘记拿走的票据。

许美静怎么唱的来着？

"承诺不过是你一时的感触。"

"今后你会感激我。"猪说。

小时候每次挨批评被罚站请家长，老师都会这么说："今后你会感激我。"

感激？或许。

起码他诚实，没有龌龊地绑着我玩"两女一男三人四腿"的游戏——磕磕绊绊拉拉扯扯蔚为壮观。

失去的一定不是我的，更何况无论抓得多紧到最后都要放手。人生，不过是浮华暂借。

从前，像两个人结伴挑着担子赶路，兴兴头头要把辛苦赚到的一点儿财富运到远远的一个目的地享用；如今两手空空，两袖清风，正好名正言顺地做个游客。

孤身走我路，或许是为了欣赏风景。

与 前 夫 同 居

同居似乎等同于暧昧，但与前夫同居则实属荒诞。

他们说要给我介绍个科学家，离异，造卫星的。

我说好。我还没跟造卫星的科学家相过亲呢。

过了一阵子，人家说，见不了啦。

我说：哦。

人家赶紧跟我解释：科学家和女科学家同事因为结婚而分到了研究所的一套住房，离婚之后，法院判决：两人各分得卧室一间，客厅、厨房与厕所公用，一方若想对房产进行处置，必须征得另一方的同意。而结果是，无论科学家打算以上述哪种方式处置，女科学家都不同意。女科学家只同意科学家天天回来，以便她用阴沉刻毒的眼神和冰冷的沉默对其进行精神阉割。

所以呢？我问。

所以，不堪忍受的科学家把自己流放到荒凉的大西北发射卫星去啦，一年半载之内回不来了！人家说。

真惨，简直是惨绝人寰。我非常同情这个跑去发射卫星的科学家，好在他最后还是成功逃脱了。否则，我能想像到，他会像一棵被腌在瓦罐子里的大白菜一样，失去水分，日益萎缩，变成一种又酸又咸又致癌的怪物。

　　一对离了婚又必须生存在同一个狭小空间的男女，并不比奥斯威辛集中营的犹太人幸福多少，尤其是如果他们必须共同使用同一个厨房和同一个厕所。精神脆弱的，容易得躁狂症；精神强悍的，容易把别人折磨成躁狂症。反正你要是能不得病，就离成为圣人不远了。

❶

　　我没有得病，并不是我特别接近圣人，只是因为我们的非自愿同居生活就像我们的性生活一样，非常非常短暂，还没来得及智勇双全地彼此折磨呢，就唰的一声结束了。还有，就是我的幽默感来得莫名其妙，该生气的时候，我总是忍不住发笑。所以，在别人眼里，我是个彻底的傻蛋，特别没心没肺。

　　"哟，没出去过节啊？"我问。那天是圣诞，下午我们刚刚离完婚。

　　"去了。"他摘手套。

　　"干吗回来吃饭？"

　　"她回学校了。你吃了吗？"

　　"没呢。"

　　"一起吃点儿？"

　　"成啊。"

　　"吃蘑菇，我做的。"

　　"不新鲜，我还是吃鸡翅吧。"

　　"虽然离了婚，在搬出去之前，咱们还是和平共处吧？"他探寻地看我。

　　"好。"

　　"吃点儿黑枣吗？挺甜。"

"不要，谢谢。核太多，吐着麻烦。"

"我刷。"猪开始收拾碗筷。

我没拒绝。前夫的殷勤，享受起来非常没有负疚感。

我靠在沙发上看电视，突然想起"欲说还休"这个词。

前几天还裸裎相见呢，前几天还庆祝结婚纪念日呢，前几天还为窗帘的颜色争执不休呢，怎么突然就变陌路了呢？彬彬有礼，坐怀不乱，换衣服要上锁，进房间要敲门，狭路相逢要默契地侧身避免肢体接触，能用表情说明的事儿就尽量不用语言，必须用语言的时候将眼神从对方的肩膀上方飘移过去，并聚焦于其身后大约一尺处的某固定物体，比如冰箱顶上的一个萝卜上。

所谓色即是空，原来如此简单。

我与一个刚被女友丢弃的男友聊天。

他问我："后悔吗？"

我："后悔。你呢？"

他："后悔。后悔当时没抡圆胳膊给她一个耳光！"

我："我也一样。"

说罢我俩响亮地碰杯，仰天大笑。

有时候教养真是个害人的东西，它像条 SM 绳子，把人身体里最原始的兽性束缚成很屈辱的样子。

想像中我曾无数次地拔出厨房的菜刀，但始终不知道应该扎在猪身上的什么部位血才会喷得比较漂亮。

一切都停留在想像中。

看着眼前的男人，他的脸含糊地晃来晃去，我与其说憎恨，不如说茫然，除了陌生还是陌生，好像根本素不相识，怎么会莫名其妙地同居了这么久？我又不是冷血杀手，总不至于揪住个陌生人拔刀就刺。

　　猪对此一无所知，否则大概会在枕边放一把刀用于自卫。抱歉，仍然把这个男人叫做猪，因为实在懒得改口写成"前夫"，觉得此言一出，这个男人就能应声跑进我的档案，从此与我有了连踢带踹都扯不干净的牵连。

　　脱离了夫妻关系之后，我们的房子变成一个男女混住的宿舍，里面的成员都不吵不闹，非常懂文明、讲礼貌。

　　男同学喜欢趴在床上上网下载美国肥皂剧、看小说，女同学照样坐在隔壁房间的另一张床上赶稿。我突然发觉，这里像个宿舍已经很久了——除了搞笑片，我们很少同时看一部电影或者小说。我看《鸟的迁徙》时泪流满面，猪则酣然入梦。我把他摇醒，他说"我不太喜欢鸟"，然后翻身睡去。

　　心情好的时候，男女同学还会说句笑话。比如，猪穿上一件臃肿的羽绒服，然后将大臂平举小臂向上弯曲，"橄榄球运动员。"心情更好的时候，我们会同意对方来分享一点儿自己做的晚饭。夜里十二点之后，男同学偶尔会敲女同学的房门，"早点睡，要不又该病了。"或者提醒，"你的胃病该去医院看看。""谢谢。"女同学总是彬彬有礼。

　　门的隔音效果并不好，我能听到屋子里的几乎一切声响，包括隔壁的电话。

　　"在哪儿呢？"

　　"干吗呢？"

　　"明天，明天我去接你吧。"

　　"几点呢？"

　　"我也想你。"

　　"早点睡。"

　　看来这是一个约会。原来一个年近四十的男人还是有把子力气恋爱的，而且声音特别温柔，有些音节故意发得很轻，气若游丝，总之像一只发情的公鸽子在屋檐上咕咕地呼唤着一只母鸽子，声音连绵不断。

我很荣幸地成为第一批观众，观看一个刚刚解除了婚约、重回市场流通的男人如何兴高采烈地开始热恋和约会。人们说热恋只属于十四岁，原来四十岁的男人的冲动并不比一个十四岁的少年少，因为他们知道，自己能挥霍的时间不多了。

在那个寒冷的冬天，我半夜三更从被子里爬出去为这个男人开门的次数如此之多，每次开门，扑面而来的除了一股呛人的寒气，还有一种喜气洋洋的腥味，这难道是激情尚未消退的猪身上残存的荷尔蒙？

北京的冬天冷得让人想撞墙，他们去哪里度过一个又一个漫漫长夜呢？吃饭？然后看电影、看演出？然后散一会儿步，然后钻进车里开着音乐一边拥抱一边海誓山盟，然后像两只鸟一样啄来啄去？车身会随着激情轻轻颤抖吗？

电影院应该还是老样子，恋爱还是老样子，接吻与上床还是老样子，所有的事情都是老样子，生活本来就是周而复始的老样子，如果不能改变生活，那么换一个伴侣总会更容易些吧？这样猪会更快乐些吗？

当然，我不知道这一连串问题的答案，前夫前妻之间讨论这样的问题显得非常不正经。

猪也从来没告诉过我这些，他更愿意在某一天早晨出门前告诉我，似乎应该有人帮他把那一大堆衬衫熨平。当时我正蓬头垢面地从被窝里钻出来，准备冲进厕所。

大概是看到我的表情像是被窝头噎住了，猪拉开衣柜，指着里面，语重心长地说："你看，都是皱的，我没有衬衫穿了。"我应该是还没睡醒，仍然木在当地没反应。"帮我熨一下，我实在不会，谢谢啦。"猪扒出一根领带，套在脖子上，如寻短见一般边勒边夺门而出。

　　我歪着头坐在马桶上，看了半本杂志、洗澡、对着镜子缓慢地刷牙，然后打开熨衣板，往电熨斗里加凉白开，抱起那一堆衬衫——它们形成了一座容易垮塌的小山丘，顶在我的下巴上——我把它们扔在床上，打开电视，左手按遥控器，右手抄起电熨斗流畅地碾压过一件又一件衬衫，把它们变得又薄又脆又暖，像刚出炉的某种点心。

　　朋友粟粟打来电话："出来玩。"

　　"不行。"我说。

　　"为什么？"

　　"我在熨衬衫。"

　　"你从来不穿衬衫。"

　　"我前夫穿。"

　　"你疯了！"

　　"应该没有。"

　　"我认识一个很好的心理医生。你出来，就现在。"

　　"不行。"

　　"为什么？"

　　"因为衬衫还没熨完啊！"

　　那边沉默了一阵，电话断了。

　　我想了想，还是没想明白，为什么给前夫熨衬衫就要被拉去看心理医生呢？为什么不肯去看心理医生就要被挂断电话呢？抬头看了一眼电视，电视上竟然闹鬼般晃悠出许美静沧桑的脸，"找不到爱的痕迹，找不到恨的理由。"

　　衬衫都是我买的，大多是白色，他喜欢什么颜色，我不知道，我觉得那不重要。

　　现在，衬衫里那个散发着温度的肉体带着一腔子热气逃跑了，就好像《聊斋》里写过的一个鬼，突然消失成一股气，衣服、裤子、头巾这些沉甸甸的东西立时委顿一地。里面曾经装过怎样的一个人？

他更喜欢吃什么？鱼还是肉？

他喜欢看什么电影？

他到底最想去哪里旅行？

他会不会在办公室发呆只因为外面有很好的阳光？

他是不是忍受过深夜里两个人的孤独？

他真的会对着流星许愿吗？

下雨的时候他会不会坐在窗前幻想？

他是否憧憬一场空前绝后的恋爱？

他经常想到死的问题吗？

他喜欢读哪本书？

他是否觉得做梦比做事更美？

他上一次哭出来，是因为什么来着？

……

我突然发觉自己几乎一无所知。

的确有一张结婚证。这东西能证明，我们可以在一起睡觉了；但它并不能证明，我们真的合适睡在一起。

我给猪买的衣服塞满了整整一个大柜子，因为实在不知道他还需要什么。况且把猪套进白衬衫、卡其裤、白球鞋里四处招摇，看着旁人艳羡的目光我总是很得意，至于他是否喜欢，我不在乎。

小时候我喜欢把枕巾裹在身上，踌躇满志地说将来要"演戏"，搞得我妈天天担心我误入演艺圈。现在才知道，原来自己最喜欢扮演金童玉女、才子佳人的戏码，尤其是身边的人们的婚姻越来越漏洞百出的时候。我真有点儿卑鄙，喜欢拥有这种高高在上、隔岸观火的优越感。

由于戏演得太好太自然，我甚至开始怀疑，是不是根本就没发生什么变故？在某一天回到家里，灯光大亮，一屋子观众争相朝我献花鼓掌，激动地握着我的手语无伦次地说恭喜我被提名为"婚变最佳女主角"？而猪则跑过来和我拥抱庆祝演出成功？

或者根本是另一种情况：我们一直在扮演一对恩爱夫妻，我们尝试了各种俗套，塑造了和谐夫妻的楷模？而我们的剧本，就像小时候电视里热播的墨西哥电视连续剧，一演就奔着一百好几十集去了，务必先说服自己，再说服别人？

但是，万事逃不过一个"但是"——突然有一天，男主角演烦了，直接站在台上小声地跟女主角说：我不干了，您自己跟这儿练吧。

女主角当然傻啦，用唇语说：你不干了，那我怎么办？

男主角一脸疲惫地打了个哈欠：跟观众说——散场。

聚光灯打在女主角错愕的脸上。女主角：那你干吗去？

男主角（憧憬地）：跟新人演对手戏。

女主角（羞愤且不可置信地）：新人要重新磨合，你怎么就能保证不被磨废了？

男主角：磨废了也比演钝了好。

女主角：可先人智者都说了，生活它就应该像咱们现在这样——现实的、平淡的，没有那么多风花雪月的情节，那是言情片儿！

男主角：是啊，跟你在一起都成生活了，可我不想要生活，我想要爱情！

此时台下的观众发出嘘声：不好好演戏嘀咕什么呢？我们还等着往下看金婚大团圆呢！

女主角终于忍无可忍一脚踹倒舞台背景——那是一间奶油色的屋子，里面的床和沙发都用得半新不旧，似乎能闻到一股积攒了多年的皮肤味儿和灰尘味儿。

女主角：爱谁谁，我也早演烦了，今儿就散伙！

观众甲：退票！

女主角：当初就是义演啊，谁掏钱来着？

观众乙：那，那以后我们看谁去啊？

女主角：这年头有表演欲的人多了，还有人演三级片哪！

观众丙：跟我们想看的不一样！给个说法！

女主角：这才叫戏剧性。

观众丁：白耽误我们这些工夫啊！找谁说理去呢？

沉默半天，正自顾自地往后台走的男主角：找编剧去。

观众戊：谁是编剧？不是你们自导自演的啊？

女主角：哈哈，编剧就是命运，有本事你们找他去！

观众己：命运不是好编剧。

女主角一拳捅破背景纸板，挂着"五好家庭"牌子的大门轰然倒塌。

女主角：命运是最好的编剧。写过的章节不会改写，注定的结局没有续集。

男主角一掀幕布，不见了。

女主角从台上蹦下来，直奔安全出口，走到门边，对满场错愕的观众挥挥手：散了吧，都散了吧，就到这儿了，说着溜溜达达地出去了，剩下满场惊愕的观众。

片刻，观众突然反应过来，一批人大叫：骗子，这群骗子，耽误了我多少工夫啊！

另一批人拍手：你看你看，我早说这戏长不了，女主角演得太放，缺乏和男主角的互动。

还有一批人喃喃自语：以后看见什么我也不信了！

最后一批，属于特别坚定执著的，继续吹口哨鼓掌要求男女主角重新返场。眼见要求得不到满足，就有一小撮特别极端的，腰里别着西红柿臭鸡蛋什么的就追出去了，希望用武装力量和公众舆论把男女主角请回到舞台上。这一小撮力量的头目一般都是由演员的爹妈扮演的，因为他们觉得，戏要是不照着他们的希望演下去，后半辈子就不能悠然地坐在椅子上，嗑着瓜子儿喝着茶，跟别的观众交流心里的幸福体会了——对于他们的人生而言，这是多么大的损失啊！

一切都无所谓崇高，也无所谓悲壮，我们的生命那么长，就是为了把电影拉扯成电视剧——肥皂剧。

一股干燥的焦糊味儿把我从幻想的状态中唤醒。我看见板正的白衬衫胸口处印着一个巨大的锲形印记，好像一位被严刑拷打过的志士。

我关上电熨斗。衬衫真多，七零八落地躺了一床，仰卧或者俯卧，扭曲着，胸口的扣子洞开，两只袖子摊开，还有的用一只袖子捂在胸口，像一群中弹阵亡的直挺挺的士兵。我把他们逐个抱回衣柜里安葬。

❸

第二天，猪穿着挺括的衬衫出门，我搭他的车。看上去，我们也像能白头偕老的样子。邻居和她的狗仍然亲热地朝我们打招呼，丝毫看不出这个男人晚上要去跟另一个女人约会。

路可真长，长得看不见头儿，路两边没有风景，除了汽车和人流，就是汽车和人流，一切都是灰色的，这就是北京的冬天。看来我们必须得说点儿什么，不然就像两个死人并排坐在一起。

"要是我两年后回来，你还能接受我吗？"猪突然问。

我比听到让我熨衬衫的消息更加愕然，"你是不是在发烧？"

猪不好意思地笑，"我就知道不行。"

"为什么是两年？"

"她两年之后毕业。"

"你想留条后路？"

"我觉得咱们挺适合一起过日子。"

"但你不想过日子，你想要爱情。现在我觉得这主意不错，千万别变卦。"

"你取笑我。"

"不对，我从来没这么认真过。我佩服你的勇气。谢谢你把咱们俩都解脱了。"

猪看我一眼。苦笑。

"代价不小。"

"干什么不需要付代价？人生苦短，何不潇洒走一回。"

"在遇到她之前，我以为咱俩会白头偕老。"

"也许那样很乏味呢。"

沉默。

"你为什么选她？"我问。

"她听我的，你从不。"

"听啊，比如，炒股、理财。"

"不止那些，我说全部。"猪很坚定。

我觉得很可笑，"不可能啊！"

"唉，你为什么一定要这么有个性呢？"

"为什么有个性就该死呢？"

"男人本性如此。"

"哦，我觉得这本性很低级。"

猪盯着前面的路，"她非常漂亮，当然，你也不难看。"

"谢谢啊。"我打了个哈欠。

"看见她我就想起你二十岁的样子。"

"但愿不会看见我就能预见到她三十岁的样子。那可真是悲惨世界。"

车子一寸一寸地往前挪，这真让人泄气，可我们俩都笑了。

"我二十岁的时候什么样？"我问。

"害羞、纯洁、有女人味。"

"人不可能永远二十岁。"我说。我不能说"纯洁不是女人穿着白裙子看到男人就低头"，说了他也不信。

"她一点都不俗气，而且非常爱我。"

"一句话，你找到了更好的。"

猪沉吟片刻，然后笃定地说："对，更好的。"

尘埃落定。

我向后靠了靠，无话可说。

爱人就是在无数人中的那个同类。我们不是同类，或许他们是。

据说在一次聚会之后，一朋友评价我和猪说：真是一对璧人。

一个来自美国的女同性恋一耸肩说：是吗？我看他们性冷淡很久了。

当然，这话是在我离婚之后才被辗转告知的。

我大笑。

真相为什么总是由旁观者发现？

我们都是演员，不到最后一分钟，谁也不知道自己扮演的究竟是什么角色。

人生，是个大悬念。

幻 灭

喜剧片里有句台词,男人对女人说:"还以为咱们是有感情的,没想到最后还是交易。"

幻觉破灭,是结束也是开始。

"我明天搬家。"

最近猪喜欢用冻肉似的声音说话,一开口就又冷又腻又硬,大概是为了防备我仍存非分之想,又像是要教前妻懂得什么叫不怒而威。

我看着猪的脸,紧绷着,像块灰黑色的挽联儿,标准的上级通知下级、甲方通知乙方。

"不是说你找好搬家公司一块儿搬么?"

猪不耐烦,"那怎么搬?"

"怎么不能搬?反正离得不远。"

猪沉吟。

"钱我出一半儿。"我说。

❶

"你凭什么把所有的箱子都用了？"

当天晚上十二点，猪春风满面地刚进门即愤怒——门厅里横七竖八地堆着各式牛皮纸箱子和塑料袋。

"先到先得啊，我有义务考虑你的需要么？"我盯着电视。

"自私！"

"噢，合着您鬼混到半夜我还得跟通房大丫环似的替您拾掇东西？咱俩什么关系啊？"

"别忘了我现在没义务听你撒泼！"

我用食指点着猪的鼻子，"别忘了进门就撒泼的是你！精子进大脑你脑瘫了么？"

猪开始往塑料袋里扔他名下的家私，摔摔打打，叮咣山响，似乎要全世界的人都知道是他吃了亏。

我照常吃苹果。

"你凭什么把木头衣架都拿走了只给我留了塑料的！"突然间，猪怨怨的声音再起。

"所有衣架都是我掏钱买的，给你留几个那都叫友情赠送！"

既而——"我的ipod呢？"猪砸门。

我一翻身跳下床忽地拉开门，"什么叫你的ipod？"

"不是我抽奖抽到的难道是你？"

"不是你死乞白赖地要送给我？难道是我抢来的？"

猪沉吟了一下，"就算是吧，那你还要么？"

"凭什么不要？"

"要就要，说话给我客气点儿！"猪点住我的脸。

"多给我十万。"我斜靠在门框上,一手攥拳,像个泼辣的妓女在讨价还价。

猪警觉,"不是签好协议了么?"

"我改主意了。"

"你休想无理取闹。不管是书面协议还是口头协议我都遵守,除此以外你多拿不到一分钱!"

"真想好合好散你说话就给我客气点儿!你以为咱俩离婚了你就能可着劲儿撒野了是么?没门儿!惹急了我咱们就鱼死网破!"我摔上门,转念一想又拉开门。

"戒指。"我伸手。

猪似有备而来,"协议上写明了,各自首饰归各自所有。"

当年猪拿个巨形戒指来结婚,上面的石头层峦叠嶂地堆了两层,宝塔似的。照相时我总对满脸不耐烦的摄影师喊停,然后把戒面往镜头的方向转,因为指环大得如同钥匙圈——那不过是长辈送来的结婚礼物。猪乐得用了现成的,从未想过拿去重新加工。他懒得消耗心思。或者说,他娶我是以为我省事。

我万分欣赏猪的幽默感:铁打的戒指流水的妻!真正的人尽其才,物尽其用。

"我是说我妈当结婚礼物送的那一个。"我心平气和。

猪黑眼珠上插,努力思索,"我想想。"

"演得还挺像。别装了,有劲么?"

猪返身拉开墙角几天前就打好的箱子,取出一只塑料袋,又掏出一个小包裹,最后取出菱角大一红缎子的小口袋,剥豆儿似的挤出几件细软,放在手掌里一一检视清楚,最后捻起一只蓝宝石指环。

"喏,给你,"他递过来,"我真是忘了。"

"怎么不把你的东西忘我这儿呢?宽进严出啊。"我接过戒指,扭头回屋,关门上床。

到最后还是丑陋了，我想。

都想趁着对方余情未了再行使一下特权，没想到无情可余，彼此的头脑都比冰凌冷静，比算盘清楚——理应得到的照顾落了空，于是难免恼羞成怒。

又何必委屈地相爱呢，既然都热烈地爱着自己？

❷

雪像个盖子，捂住了杂乱的声音与色彩，四周又湿又冷又静，人像是突然沉到湖底的鹅卵石，宁静清晰。

"你的东西！"我指着地上鼓鼓囊囊的一溜儿蛇皮袋子，那是我忙活了一早晨的战果。

"谢谢啊。"猪刚起床，睡眼惺忪，意识涣散，还来不及礼貌地表示受宠若惊。

我们钻进猪冰凉的小车，为搬家公司的厢式货车带路，脚都木了猪还坚持着不开暖气——倒不是专为了冻我，是为了省油。

一路无话，我忙着摁手机劝阻要来帮忙搬家的朋友——来一群大龄单身女青年帮忙很有面子么？越发显得我除了上断臂山之外别无出路，我不能把自己编排得这么惨。

"帮忙看着点儿啊。"猪抱着一盆长得龇牙咧嘴的芦荟，风儿似的带领工人们赶电梯去了。

我在雪地里跳着脚，指挥着工人们搬东西，顺手拦下两只网球拍，装进自己的箱子。

猪抱着一摞锅，我帮忙拎着最后几个袋子上了楼。

"有点儿挤，比你那间小得多。"猪环视四壁。

"小房子多温馨啊！"我半真半假，半诚恳半揶揄。

"朝北，冬天冷。"

"正好供俩人相拥取暖。"

"装修风格咱们都喜欢。"

"嗯，那会儿你还憧憬，说真想自己来住。今天也算是梦想成真吧？"说着我抄起桌角上的卷尺揣进口袋。

"咦，这是什么？不记得从家里拿过。"我顺手打开旁边的一个塑料袋。

黑大衣，牛仔裤，白衬衫，都是女式，中码，从身上直接脱下来没洗的旧衣裳。

我撇嘴："都是公主殿下换下来的吧？"

猪显出戒备的样子，"是又怎样？"

"你不是从来不陪女的逛商场么？"

"钱我的，我乐意给谁买给谁买！"猪像赌气又像申辩。

我笑，"转告公主殿下，白衬衫最好每天一换，领子上刷点儿'领洁净'才不留黑印子。"

❸

"俩电视、仨空调、一洗衣机、一冰箱、一吸尘器、一阅读灯，打完折，一共是三万七千六百元。现金还是刷卡？"

"刷卡。"

"小姐，"柜台里的女人看看银行卡，又看看我，"这张卡是您本人的么？"

"基本上，算是吧。有问题么？"

"您的签名和卡上签名的不是一个人。"

我一拍脑门儿，"写顺手了！拿来我重写。"

收银员一闪，躲过了我扑抓过去的手，"我们有规定，信用卡必须要持卡人本人签字。"

"那你等等，本人马上来。"说着我拨电话，"你哪儿呢？"

"小豆面馆。要不要一起来吃点儿？"

"不要，谢了。吃完来下大中电器如何？就你附近那个。"

"什么事？"

"信用卡签单。"

"你直接签我名字不就得了？"

"顺手签成我自个儿的名字了，刷了这么多年自己的卡，刷别人卡还不太习惯。"

二十分钟后，猪头发立着，拎俩方便饭盒，奔款台而来。

"这么多！"他惊呼。

"必需品。"

"台灯四百块！"

"保护视力的。"

"吸尘器也算我头上？"

"原有的家电都搬你那儿去了啊！"

猪一边摇头一边签字。"我现在很穷，"他说，"每天去早点棚子跟民工一块儿吃两块一碗的馄饨，上小豆面馆都只点素什锦面，不信你打开看看。"

我后退两步，"你账上的股票、黄金卖掉些都够买个面馆了。再说我还没地方吃两块一碗的馄饨呢，物美价廉。"

猪凑到我身边低声嘬嘴，"把卡借我用用，买个电热水器。"

我一侧身，"你自己的呢？"

"在你这儿啊！"

"这是副卡，你主卡呢？"

"哎呀，"猪突然不耐烦起来，"反正不在我这儿！"

"在她那儿？才认识一个月！"我惊讶。

"时间不是问题你懂不懂？我的卡我愿意给谁就给谁！"猪不耐烦，鼻孔里的冷气喷在我脸上。

猪说自己习惯克勤克俭。但给前女友一掷千金买脂粉，或者给现女友信用卡买衣裳时，这美德是不算数的。原来我如此伟大，只有我才能激发他的高尚情操。

不如不知道，知道了简直是自取其辱。

男人说钱不能乱花，潜台词是眼前这女人不值得。

❹

晚上，一起从宜家出来。

"你怎么着？"猪问。

"回家。"

"干脆好人做到底，送你。"

"也好，你还有东西在我那儿，顺便拿走。"

天像小时候用过的蓝黑色钢笔水，前面的红色尾灯像反射在海面上一样闪闪烁烁。交通台的播音员不停地播报着某某路段堵塞。某某路段堵塞，在一连串堵塞中，掺杂进猪的声音："你什么时候把卡还我？"

"快了，只等明天去采购完寝具、厨具。"

"你真不客气。"

"有协议。日用品归你，我用你卡买新的。客气就见外了。"

饥饿的孩子偶然进了无人看管的糖果店，吃不完地吃，拿不完地拿，知道今后未必再有机会，所以迫切地要满足自己一回，只恨时间太短。

结婚这些年也并没有享受猪的多少殷勤，趁现在张口咬下一块肉来补偿自己。我心里有种可怜的痛快。

猪大概是了解的，所以并不多说什么。我越是发疯地买，他脸上越显出宽慰的神情。

一切都有个价钱，一切都有了补偿。

他的自由是花了钱的，拿着买来的东西心里最踏实。

"买新房的钱什么时候还我？"猪沉吟片刻后说。

"旧房子一卖掉我就有现钱。"

"还没卖掉？"

"卖掉不成问题，不能晚几天？"

"不可能，咱们签了协议，白纸黑字写着无论发生何种情况，乙方，也就是你，都必须连本带息地归还。利息千分之五。感情是感情，生意归生意。"

"你就是欺负我财商为零。"我暗自运气。

"实在还不上不如把房子卖我。"

"你出多少？"

猪说出一个数目，比市场价大约低十万。

我冷笑，"你真是天才。"

猪志得意满，"或者再签个展期协议，你延期还款，付双倍利息。"

我怒视他。

"你满世界打听打听，银行利息还千分之六呢，我够宅心仁厚了。前一段我的钱要是放进股市，你算算该赚多少钱？"

"没准儿熬不到今天就光屁股跳楼了。"我冷冷地回答。

车子还在以蹭的速度前进。"我饿了，"猪说，"你请我吃饭吧。"

"还真有想像力！"我往外喷着冷气，"不是要赶着签展期协议么？"

"我包里有纸笔,边吃边签。"猪奋力将车往外道掰。

肚子不争气,我也饿了。"请就请,前面米线店吧,算我给的车钱,欠谁也不能欠你人情。"

猪拿着菜单仔细地研究。我一把夺过,"挑什么呀挑,来最便宜的。"随即向服务员指着一套贵些的,"我要这个。"

"我现在连衣柜都没有,衣服都放在卧室的纸箱子里。舍不得买新的呀。"猪掰着一双方便筷子。

我低头斟酌着眼前的白纸黑字,拜他所赐我才明白什么叫"展期协议"。我把签好字的协议推过去一份,猪仔细检查,然后叠起来放进口袋。

"人手一份,再给你一个月时间。哎,我能吃块你的鸡么?"猪眼巴巴地盯着我面前的汽锅鸡。

汽锅鸡是我贴补自己的,本没猪的份儿,可惜味道并不怎么好。

"等下,"我仰脖喝掉了所有鸡汤,连锅带肉一起朝猪推去,"都给你。"

猪吃得津津有味,连骨头都嚼得咯嘣咯嘣的。

我啧啧摇头,"至于么你?怎么跟黄鼠狼近亲似的?"

"我现在过得省着呢!"

"说出去好歹也一外企经理,十六块的米线吃不起?"

"连吃牛肉面都是她硬要请客,说我刚离完婚没钱——她还是学生呢,哪儿来的钱啊。我要再乱花一分我不就混蛋了吗我!"说着猪眼圈一红,泫然欲泣,晶亮的鼻涕也同时垂下。

我的身子不由地往后急缩,伸直胳膊挑白旗似的递去一张餐巾纸,"不是说有情饮水饱么?那你还跑这儿蹭什么鸡呵,逮着前妻劫富济贫是么?"

"房子太小,以后结婚还要买大房子,不省怎么行?"猪擤擤鼻涕,摆出一副推心置腹的样子认真与我攀谈起来,一边吐着嚼碎的骨头渣子。

"这多好,人生总有新目标,永不言倦。"

猪把头埋在碗里,呼噜呼噜喝完汤底儿,抬头一抹嘴,突然一声长叹,"唉! 路漫漫其修远兮!"

我一口鸡汤险些全喷桌子上,"行,我算服了您!"

❺

"你这算助人为乐啊,作为前妻,我得在你的操行鉴定上写上这条评语供后人参考。"

在我新居的电梯里,猪帮忙抱着我买的一堆东西。

"算仁至义尽吧。"

"也不过是想睡得踏实些。"

"你是说我伤害了你还一笑而过么?"

电梯门一开,一搬家时遇到过两次的保安走进来打招呼:"回来啦?入住愉快啊!"

再次走入下行电梯,我抱着衣服箱子,猪抱着两摞鞋盒儿——全是他的。两个星期前我们还指望着夫妻双双把家还;形势比人强,现在又得重新"清洗"一番。我艰难地抬腿,绷起鞋尖按了楼层"1"。

"你说,咱们还能做朋友么?"猪含情脉脉的声音在空膛的电梯里特别响亮。

我一咧嘴,来了! 这个男女关系结束时最恶俗的问题还是来了!拦都拦不住。

门一开,同一个保安再次走进来,诧异,"你们这怎么一会儿往里搬一会儿往外搬呢?"

"你问他。"我用下巴颏指猪。

猪就回答了一个字儿,"对!"

保安满腹狐疑地下了电梯。

"还没回答呢！"

"什么？"

"还能不能做朋友？"

我唉了一声，不知道应该怨电梯太慢还是这个男人嘴太快。

"问题是你受得了我么？你怎么这么叶公好龙呢？"

"回想跟你过的日子，基本还算愉快。当情人虽然不灵，当朋友我觉着合适。"猪说着，艰难地从鞋盒子底下抬起一只手，向我的头顶摸来，就跟老红军爱抚红小鬼似的。

我赶紧一挫身，支棱起胳膊顶住其腰眼儿，"男女授受不亲！小心咬你啊！"我龇牙，露出明晃晃的牙花子。

"我没那种意思！"

"我知道。你要有那意思我就让你从此再没那功能。"

他一声叹息，把背靠在电梯不锈钢的内壁上。

能交心的才是朋友。

我从不和朋友做交易。

❻

晚上开着落地灯一个人看书，坐在伞形的淡黄色灯光里，周围的一切都被淡淡的黑暗隐没，变成遥远的、不相干的。

我享受着幽静，直到被电话铃声打断。

"我的网球拍呢？"猪的声音气急败坏地在电话那头响起。

"是我买的。按照协议，各自财产归各自所有。"我答。

"那卷尺呢？"

"也是我买的，我拿走。"

"不知道我还要用么？就没见过你这么讨厌的人！"那边啪一声挂断了电话。

电话又响，这次是水晶。

"你真的离婚了？"她讶异。

"从此也是有前夫的人啦。"我自嘲。

"顺利么？"

"已经分完了行李，他进高老庄，我上花果山。"

"他没为难你？"

我沉吟了一下，"不算为难。只为没拿到球拍和卷尺骂我讨厌。"

"他们都是这样，"水晶接得很紧凑，"当初说人都走了还要财产干什么？身外之物都给你。事到临头就肉疼得张牙舞爪。"

"连衣服架子都要抢。"我笑。

"多拿十块钱都是好的。"她也笑。

水晶的离异比我惨烈，她前夫红了眼睛要对簿公堂。

"把他当时的话都录了下来，从没想到他有那样的语言天才，也算开了眼。"水晶说。据说现在放开听有很强的戏剧效果，引人发噱。

当初录音，也是为了留证据吧？怕打官司的时候吃亏。

我们都恋恋红尘，随波逐流时手里总要抓住些似乎牢靠的东西，既然抓不住一个人，那么别的也好——尽管都是身外之物，人和别的。

清高起来自然可以瞧不起这副皮囊，拒绝蝇营狗苟，但活着毕竟是要吃饭的。

　　"为什么不穷追猛打让他净身出户？既然是他错。"木夏后来问，她很替我不平。

　　"第一这不公平，第二这不可能。"我说。

　　我没说第三个原因：马上离开眼前这个男人，越快越好，假如价钱合适。

　　我不精明，只是略懂性价比。

　　就像战时的不动产交易，收益重要，性命更重要，趁着一切尚未灰飞烟灭，带了能带走的早日远走高飞——生命如纸，禁不起蹉跎。

　　同样离婚，朋友佛手是被净身出户的，只带了一个女儿和一身淤青姹紫。佛手不屈不挠地打着官司，带着遍体的内伤外伤。

　　另一个朋友葡萄几乎拿了前夫的全部财产，性情从此多疑暴戾起来。"宁可扔了全副身家，也要离我而去。我是鼠疫么？或者是艾滋？"从此一双眼睛总是瞪大了在别人脸上扫来扫去，细细查看人家是否有厌恶她的神情；盯得眼球都金鱼般凸了出来。

　　开头大概多少有些感情，所以两人无论如何也要坐上一条船。

　　走到半路要散伙，条件谈得拢两人便分行李握手道别，算好合好散；遇到心狠性急的，或者就一篙将对方打下船去任其自生自灭；如果两个都是狠角色，难免破釜沉舟鱼死网破；也有不顾一切跳船的，大概是因为船上着了火，宁选水深，不要火热。

　　百年修得同船渡呢，我自嘲地笑。

　　水面上都是船，水里头都是人，哭着笑着挤着跳着叫着闹着打着骂着搂着抱着推着搡着。

　　船上的人要下水，水里的人要上船，疲惫挣扎，载沉载浮。

其实船的作用也不过是个"渡"。

苦海无边，回头是岸——彼岸。

❼

我问水晶如何处理婚纱照？

"留给前夫。"她说。

我摊手，"嘿，我前夫根本不要。"

搬家前，我和猪一人抱一本比地砖还沉的大册子。

"撕了吧。"我说。

猪用手摩挲一下，"那时你多漂亮！"

我看一眼，照片里的姑娘粉红蓬裙，浓妆艳抹，犹如春晚主持人。

"你审美有问题。"我手下的相纸发出嘶啦一声。

猪的手下也嘶啦一声。

五分钟后，这堆花花绿绿的纸片直接进了垃圾堆。

"还有水晶相架呢！"猪说。

"把脸划花然后扔出去。"

"你划？"

"没空。"

"我也是。"

于是它们跟垃圾一起被扔在待售的旧房子里，等下一任房主处置。

还有一幅巨形合影挂在猪父母家的墙上，上面的男女真人大小，远看如卢浮宫历史名画。我很庆幸当时没弄上十张八张这样的大家伙，简直够开一画廊了。

　　就像见证某种文明的文物总比文明本身长寿一样，这些所谓见证感情的东西也总比感情本身长寿。

　　然而长寿得不合时宜就成了累赘。

　　婚纱、婚照、婚礼——再堂皇的形式也无法挽留内容，恰如最精美的杯子也无法保证里面的酒不会变酸。如果一定要讲究点儿形式主义的话，还是用钻戒好了。

　　后来的一天，地铁里，只见身边一瘦弱女人打开软旧的人造革背包，掏出一本厚实的册子——红缎面烫金的封皮。

　　"圣经？佛经？"我好奇。

　　女人小心地把册子打开九十度角——是本婚纱。

　　假花，假钻石项链儿，假宫殿，假胸，假发，假睫毛，明艳的化纤大篷裙，化纤红缎子蝴蝶结白燕尾服；男的窄额头长下巴，两眼离得太近，在一派光艳的背景中紧张着；女的则自如得多，但即便如照片中的浓妆，还是让人一天遇见十次第二天也叫不出名字的那一种。

　　但相簿里的简直是个艳女——比起地铁里的这个女人来说：衣服鞋子是让人特意看了还是记不住的颜色与款式，跟主人一样老实黯淡；然而她眼睛里是柔情肆意的，连雀斑都有了雀跃的意思，手指恋恋地抚摸着相簿，过上好半天才翻到下一张。

　　照相簿不新，边角都有轻微的磨损与淡淡的黑边，大概是常装在背包里又常翻阅的缘故——这是她每天的享受吧？上班一次，下班又一次。起码，在这短短几站里，她的幸福是抓在手里、牢不可摧的——虽然带着寒酸卑微的味道。

　　每个女人都曾经这样吧？热烈地向往着婚纱簿子里的世界。

后来,才一点一点地发觉:男人和想像的不一样,感情和自己想像的不一样,甚至自己也和自己想像的不一样。

一幻一灭,如灯一开一关。

只看见灯下的世界,未尝不是一种盲目。

生命是座阳光斑驳的密林。

我像只兽,在不间断的明暗交替之中,悄无声息地穿行。

策 反

我策划的计谋，反过来颠覆了我的人生。

毛姆说过：我常常后悔用第一人称写作，要是当时我显得睿智冷静，或者温和可爱，那倒也没什么，可要命的是我偏偏表现得像个傻瓜。

我很喜欢毛姆，一大部分原因是他诚实得不像一个名人。

我现在也很后悔用第一人称写作，因为在某些桥段，我不仅像个十足的傻瓜，更像个小丑，以至于在复述某些情节时，我总下意识地闭上眼睛，似乎这样就能避免在记忆的世界里看到它们。

❶

办完离婚手续之后的一个晚上，我坐在客厅的木地板上组装一张小沙发。这件事让我兴致盎然，像回到了小时候的手工课。

忽然之间，电话铃声响起，听筒里是母亲大人标准的工会主席式的声音。

"你们怎么回事？"

"刚离完婚。"

沉默几秒。

"他说是他错。"

"他外遇。"

"你在干吗？"

"装沙发。"

"真有心情！"

"还好。"

"为什么不和我们商量？"

"这是我们两个人的事。"我说。心想告诉你们哪能离得这么顺利？

"打算瞒到什么时候？"

"只想让你们过个好年。"

"为什么不接手机？"

"我在买家具，没听见。"

"我打电话给猪，他吭吭哧哧地说你们已经分手了。"

"他犯不着吭吭哧哧，反正你们总要知道。"

"他父母怎么说？没出面阻止？"

"他们装着刚知道这件事，已经虚情假意地问候过了。你们还想知道什么？"

"你不觉得家庭值得捍卫？"她语气强硬。

"一个没有爱情的空壳为什么要捍卫？"

"太轻率。为什么不能容忍？"

"你没资格评价别人的事，因为它没降临在你头上，你并不知道当事人的感受。"

"这么做是对亲人不负责你知道么？"

对于温暖家庭根深蒂固的观念，在这一夜开始土崩瓦解——父母也许的确是爱子女的，仅限于在子女按照自己的意愿生活的时候。

❷

那天我是带着冷笑睡着的,冷得全身发抖,于是用被子把自己裹成一个茧。

第二天清晨,我被电话铃声吵醒。

"我一夜没睡着。"我妈说。

"是吗?我还好。"

"我觉得你不应该这么轻易放弃。"

"我想再睡会儿。"

"我可都是为你好。"我妈突然换了一种软弱的语气,此时拒绝显然接近天良丧尽,我只能认真听讲。

"我想了整整一夜,觉得虽然是他提出离婚的,但错的其实是你。"我妈说。

"也许。"我承认。

"你不尊重他。"

"对,我承认自己有时很过分。"我像跪在忏悔室里的罪人那样虔诚地说。

"你我行我素,以离经叛道为傲。"

"是吗?"我说。我并非故意如此,实在是天生反骨。

"你完全不像女人,只有疯没有情,哪个男人对你有性欲?"

谁能说我妈不是个具有幽默感的人呢?十年前她希望我看上去像个男人,现在希望我摇身一变,成为外表清纯内心风骚的顶级荡妇。

我忍不住扑哧一笑,在我妈看来简直十恶不赦。

"女人为什么而战?不就是为了捍卫感情捍卫家庭吗?你倒好,拱手相让!"

我的笑意还没有消散,想像中我妈如圣女贞德一般身穿铠甲举着长矛前来收复失地。

"你不后悔是不可能的。没有男人的女人都变态,没有一个是例外。"

"我……"我觉得应该为自己说点儿什么。

"你也别伪装坚强，家庭最重要。你必须牺牲自尊，找他和谈。"

"不可能。"我轻描淡写，但心里却开始对自己最初的坚持有所动摇。

"别犯幼稚病。再找身高学历收入家庭都这么合适的男人那么容易？将来你怎么办？一个人冷冰冰地生活？就算死在房间里都不会有人知道！"

全世界的真理都掌握在她威严的手中，我要是不听，就相当于自绝于人民。

"去谈！必要时使用技巧，只要结果好你管过程干什么？就算结果不好，你也没什么损失。"

"没必要吧？"

"谈！就今天，不然保证你后悔一辈子！"

我妈的话很具有一定的催眠功效，特别是在我遵照她的懿旨生活了三十年之后。

其实这样说不太公平，我把母亲厚实的身躯当做挡箭牌，以便为自己找到足够的借口开脱。

我应该承认自己空虚懦弱，平日里只是色厉内荏。我想起看过的一则单身女强人采访。别人问："一个人住你最担心什么？"她答："最怕死后自己的脸被猫吃掉。"我觉得这是我听到的最恐怖的恐怖小说，只是当时做梦都没想到自己也可能会有这么一天。

头疼得像被凿子敲过，伸手一摸，烫；口干舌燥，想爬起来倒杯水，没力气。

我只能笑。这么标准的苦情戏：寒风惨惨，暖气不热，一中年妇女先遭丈夫离弃，又被生母恐吓，羞愤交加，一病不起，"死在房间里都不会有人知道"……

像电影里罪恶滔天的忏悔者，我仿佛看见自己双手抱头，一点一点地矮下去，天渐渐黑下来，白色的路灯光在地上拖出呈蹲姿的长影子。

那一刻我宁愿命令所有的尊严骄傲统统去见鬼——只要能换回一个摸上

去有体温、呼吸起来有热气的人，当然，最好是个男人。

❸

手机铃声突然大作，我像饥寒交迫的人抢夺馒头一样把它抓在手里。

"昨天你妈都知道了。"是猪。

"我知道她知道了。"我尽量回答得气若游丝。

"她说什么了？"

"她说要来追杀我、鞭打我、剥我皮、在我后背刺上'不肖之女'四个字。"

"我说都是我的错。"

"她认为都是我的。"

"她打算什么时候来？"

"不知道，也许正在买车票。"

"你还好吗？"

"不好。"

"是不是搬家又冻病了？"

一个"又"字如锤子般猛敲在我的鼻子上，这世界上总还有人记得我的。眼泪不知道什么时候掉了一脸，我突然哇一声哭了出来，"我在发烧！煤气炉点不着，我没办法洗澡，连喝的热水也没有！"

那边沉默了一下，"我马上来。"

我不相信酒后乱性，也不相信病中托孤。据说这两个时候人都特别真实诚恳，我却觉得恰恰相反，酒和病都是掩护，背后藏着的心思反而像海面漂浮的冰山一样，是从未有过的清晰、冷峻而庞大。

比如我。我扔掉电话，嘴角向上一提，笑了。

❹

猪很好地发扬了骑士精神。而我在吃了猪买来的午饭、用了猪买的煤气洗了个热水澡、吃了退烧药之后，对往日安定生活的怀念已经达到了顶点。

在猪要转身离开的时候，我叫住他。

"我想和你说几句话。"我说。

猪一屁股坐在椅子上，"说吧。"我坐在他身边一把更低的椅子上，却什么也没说出来，只是像鱼一样无声地翕动着嘴。

猪扬着下巴俯视我，"你平时不是挺能说的吗？什么话这么难以启齿啊？"我憎恨这报复般扬扬得意的口气。

"我知道你想说什么，"猪不耐烦起来，"但我们已经不可能了。"他的声音在空旷的屋子里响起来，格外响亮。"那么多人喜欢你，再找一个并不难。"

我苦笑，"喜欢是一回事，娶回家是另外一回事。"

"已经说过是我的错，我喜新厌旧。"

"其实，其实，"嗓子又被哽咽堵住了。小时候听了悲剧故事曾经站在院子里号啕大哭，屡劝不止，如丧考妣；而努力想给别人讲一个美丽的故事也经常讲得泪流满面，不得善终。但既然事已至此，还是要硬着头皮说下去，"其实，我是想，道歉。"

"你没错。"猪表情僵硬。

"我没学会尊重你。"眼泪忍不住哗哗地流，"不能说我不爱你，但没学会用你喜欢的方式。有时候我也想，为什么可以对朋友宽容，对你却不行？你选择离开，我不怪你，也不恨你，因为我理解你。"

猛听身边一声呜咽，只见猪五官扭曲到一处，号啕大哭，边哭边用拳头捶着桌子，大叫，"你要是早这么说多好啊！呜呜呜……"

我惊呆了，愣愣地看着他满脸的眼泪、鼻涕流到嘴里，觉得这情形很滑稽；

但还是一个健步跪伏在猪腿上，摇着他的膝盖说"别哭了"，而猪则鼻涕眼泪地弯腰将我搀扶起来。

心里像被压麻的脚面，空落落的，又动弹不得。我知道自己在做秀，却停不了似的要做下去。

"她也不喜欢穿旗袍，可大冬天的，她却为了我穿。她给我打电话的时候总是很亲昵，我问她身边有人吧这样不太好，她却说没关系她不在乎；她听我的话，我不喜欢她最好的朋友，她就再也不和她来往……"

猪没头没尾地一句一句说下去。感情已经慢慢退潮，我就像船上的乘客，随潮水而去，离他越来越远。

而猪还在自顾自地说下去，"后来，你不再给我洗衬衫。她见了我的脏衬衫就问我怎么了。我撒谎说家里洗衣机坏了。她急起来，说，衬衫怎么能用洗衣机呢？以后我一件一件地用手给你洗！"

"大家都有工作，很忙……"我说，想着搬家时看见的那件女式白衬衣，心说："先把她自己的衬衫洗干净再说吧。"

"我不是说洗衣服这件事本身。我只要你关心。"

我无语。不想一件件地细数过去。人的记忆力向来是种很奇怪的东西。

"她帮我挠头上的牛皮癣。而那天晚上我都快把头皮挠破了你也没看我一眼。那时我决定离婚。"

我不说话。其实我厌恶他的牛皮癣，虽然也做出不在乎的样子；也许我根本是厌恶他。乐于享受他的照顾，但拒绝他带来的麻烦——我打了个哆嗦。我没想到自己如此不堪。

"你在博客里说没有你你还是你，没有你你成了什么了？你知道我看了这句话什么感受吗？"猪索性扑在桌子上痛哭起来，像间屋子突然垮塌。

我的确曾在博客上大放厥词，大意是猪要求我改变风格，我回答："失去你，我还有我；失去我，还要你做什么？"若是当初他这样评价我，我恐怕也要跑出去外遇。云山一样堆积的内疚瞬间崩塌成厚厚的云层，罩在我头上。

"我一直比较为所欲为，"我拍着猪的肩膀，"谢谢你容忍了这么久。"

"我以为你总有一天会改变，"猪继续痛哭，"可好像永远等不到这一天。"

似乎看见一线光突然从云层里透出来，我急忙问："那个，"又咬咬牙，"如果，如果我愿意改变，能再给我一次机会吗？"

这句话让我觉得屈辱。但既然已经演了这么久的戏，这句最关键的台词总是要说的。每件事都要有个目的。

过了片刻，猪摇头，"我不能伤害了一个再伤害另一个。那不真成浑蛋了么？"

猪抽出纸巾揩鼻涕，擦眼镜，我知道他已经醒了——从回忆里。

"我那么忙，那么努力，那么多对未来的憧憬，只希望有一天能和你一起自由解脱。"我用手抠着桌角，低着头说。

世界转瞬即逝，结论总是虚空。但是，总有一个人要回来吃饭，总有一个人的生命因为我不再孤单，总有一个人愿意把我们同住的房子叫做"家"，总有一个人兴致勃勃地对我讲他生命中的种种琐事，总有一个人信任我，总有一个人需要我。

被人需要，这就是我们活在世界上的唯一理由吧？

现在，这个"动力"突然熄火了，我似乎陷入到一片无边的黑暗里。失去方向，或许这才是恐惧的真正来源？

猪怔了一下，突然又摘掉眼镜重新趴在桌子上，哭得上气不接下气，"她，她也说要赚钱养活我！她还是个学生，就到处打工。她请我吃饭，吃面条，她，她还是个学生……"

我再次陷入沉默，手足无措。

我第一次发觉自己对真实生活隔膜而迟钝，对其中的荒诞情节缺乏心理准备。

❺

终于，猪深吸了一口气，"我要去火车站接她。"

"那个，"我很惭愧地说，"在你右车门的储物格子里我吐了一块口香糖。"

猪莫名其妙地看着我。

"粘她发卡上了。"我曾在搭猪的车时把嚼过的口香糖按在一堆女式卡子上——有时候你得原谅怨妇做不到心胸宽广。

猪皱眉。他站起来，开始往门口走。

"等等！"我喊。

猪回头看着我。

"你，晚上还来吗？"

猪摇头，转身。

"再抱我一下，"我看着他的背影说。

猪转过头，站在那里，没动。

"再抱我一下。"我直视着他，眼泪又下来了。

他看着我，然后迟疑地把包放下，走过来，两只手臂环绕住我的肩膀。

想象中的战栗感并没有如期而至，猪皮肤冰凉粗糙，涕泪纵横；我大概也一样，这样两张脸碰到一起委实毫无快感可言。他的手臂套在我肩膀上，像个呼啦圈儿。它诚实地告诉着我什么叫做彻底厌倦——他对我，我对他。

然而我像个溺水者，伸出双手紧紧地抱住猪的脖子大哭。并不是因为失去他，只是哀悼自己的失败。

"她还有很多未来。你，你再考虑一下。"我知道这是最后一击。

"年轻不等于一定要经受伤害，"猪站直身子，"说实话和你在一起的时候也觉得有面子。可别人的眼光毕竟是虚空。你总嘲笑我是个守财奴，当我遇到她，才发现钱并不是那么重要。即便全世界一起嘲笑我傻，该爱还是要爱的。"

我还挂着眼泪,愣愣地站在那儿。

他的话蕴涵着某种力量,诚实强大。结婚六年多,此时我最尊重他。

"那么,再见。"我朝他点点头。

"再见。"猪拉开门,一条腿迈出去,忽然又转过身来,"你不是一直想知道我们是怎么认识的吗?在车展上,她发宣传单,我留了名片。"说完,他带上门,走了。

❻

铁门撞击的声音过后,屋子变得又大又空又安静,我站在刚刚着过了火的旷野里发愣。

原本只是一场有目的的表演,没想到会被打动。

猪的话,就像一场地震,瞬间摧毁了我原有的一个世界。门当户对,学历对等,金童玉女,房子,车,高收入,体面,正常的家庭——别人眼里的幸福——我曾经相信和奉行的一切,突然都成了大红的丝绒盖布,里面鼓鼓囊囊似乎藏着什么贵重物件,实际也不过是虚空。

猪首先揭起盖布发现了真相。他伸手推翻了辛苦经营了多年的一切,蹚过旧世界的废墟,走向一片未知——在我们的世界垮塌之前,我们看到的只有围墙。

不得不承认,我曾像个最恶俗的小妇人,算计着怎样运用手段,把这个男人重新拖回自己身边,我翻出以前情意缠绵的短信,我借机贴在他身上,我甚至打算用上一点点酒……

人不犯傻就不会长大。出尽百宝之后知道旧情永无复燃之日也好。人心里总有意无意地想着续集。

如果他回来，我是否真会为他改变？

不。

一棵杨树当然也会变大变老，但永远不会变成一株桃树。

他指的不是我的路。一辈子演别人，敬谢不敏。

葡萄怜惜地看着我，"真不幸，也遇到这么倒霉的事。"

"倒霉吗？"我反问。

单单是为了听猪最后剖肝沥胆的几句话，就已经值得所有的挫败伤痛。

谁都可以点拨我，用各种方式，比如猪用离开的方式——在此时此地，而我突然有所领悟，这就是机缘。

火，是好是坏？刀，是好是坏？

分，一定是坏的吗？

合，一定是好的吗？

一切都本无好坏，一切都蕴涵力量，一切都不过是认识生命的道具。

壮士断腕，皆大欢喜。

爱 伤

爱是一把刀。我们常常因爱成伤。

然而还是要去爱，还是要被爱——这自私而无私，可敬而可怜，卑微而伟大的凡人之爱。

要走的留也留不下，比如猪。

要来的挡也挡不住，比如我父母。

结婚不只是两个人的事，尤其是在离婚的时候。

漫长的一生中，看上去我们忙忙碌碌主宰一切，其实我们所能做的，也不过是等待，等待来来往往，等待一切发生。

❶

我知道父母会像联合国维和部队一样，无视当事人的意见前来"善后"。

只是没想到会是这样一种情形。

在历数我的种种恶行之后、并祝猪幸福后，我妈变戏法般掏出一大包叉烧肉塞进猪怀里——有请他"努力加餐饭"的意思。猪大概以为肉里下了耗子药,奋力推挡,两人绕着乒乓球台子追逐,蔚为壮观。

"总有一天他会想起:曾经有那么好的一家人,可是我没有珍惜……这世上什么最折磨人?后悔啊!这世上谁能给人最大的折磨?自己的良心与回忆啊!"事后,我妈这样解释。

我不关心猪的回忆,只可惜了那包叉烧肉。

之后我妈带领全家提上水果登门拜访猪家。

"哎呀,你看,哎呀,还买东西,哎呀,你看看,这事,唉,你看看……"我的前婆婆说。千言万语等于一字儿没说。

老太太将时鲜水果收起,另拿出皮肤僵硬、老年斑密布的橘子、香蕉来待客,想必是旧日收藏。说声"请用"之后便一言不发,两眼直勾勾地看住桌子。

我妈本来扎了个坐如洪钟的架势,等待对方开口认罪,如今只得先提起话头,否则很像全家特地赶来吃烂水果的。她对离婚表示意外,猪妈表示更意外;她感叹衣不如新人不如故,猪妈说如果不是因为有孩子她自己也早已旧换新了;她对猪的作风问题表示痛心疾首,猪妈说流水不腐,户枢不蠹,物必内朽而后生虫。

"他们本来打算今年要孩子。"我妈使出撒手锏。

猪妈掐指一算,"来不及了。"

傻子也看得出来我妈被打落马下——全家一起找上门来被羞辱。

突然间,只见猪妈双手捂脸,泣不成声,"不容易啊不容易。"不知她是在说别人还是在说自己。

我诧异得合不拢嘴:如果一定要有人哭,那也应该是我啊!

如此一来,我们全家更无处容身,只得仓皇撤退,一路默默无语。信誉良好的黑社会砍错了人,心情想必也不过如此。

事情在第二天早上似乎出现了转机,当时不在现场的猪爹打来电话,相
约再谈。我妈立即抖擞精神携我爸前往。直到下午,与会二人才风尘仆仆地
归来,用热水泡了两碗冷米饭。原来,老头儿讲自己当年的离婚往事上了瘾,
车轱辘话一遍又一遍,讲了半天一脑袋,"哎呀漏了一段!"嘴下千言,离
题万里。突然睡醒似的看表,"留下吃饭吧,还有昨天剩下的粥!"

事后我妈说:猪道德败坏导致婚姻失败,皆因猪家教无方。虽然本应由
他们登门认罪,但我们虚怀若谷、以德报怨,显示了超凡的礼仪风度。将来不
仅猪会后悔,他们全家都要后悔:错失了这么一门通情达理的姻亲,简直是人
生一大憾事。

这么说来,我们行动的意义堪比郑和下西洋。

❷

攘外之后必要安内。

我妈是法海,我是白素贞。家里天天开批斗会,主题时时翻新——

忽而是我穿着过于中性:"人家猪办公室里满眼都是掐腰小西服、包臀超
短裙、黑丝袜高跟鞋,回家看你像伐木工难道不会吐?"

忽而是我敏感刻薄:"猪能忍七年我都给他立牌位烧高香。"

忽而对我的女性特征表示怀疑:"其实你是个男人也说不定,不然怎么如
此叛逆不羁?"说着打量再三,似乎要确定我长着一套隐形男根。

忽而嘲笑我主次颠倒:"用工作的一半努力维持婚姻都不至于落到如今
这个下场。有个工作无非是为了好嫁人。"

忽而又指责我生活方式有异常人:"晨昏颠倒昼夜不分,知道的说你任职
报社,不知道的以为你在夜总会坐台。"

最经常的,还是对我这个人的存在持彻底否定态度,"一个人活着有什么
意思呢?想发疯么?说实话,是不是想死的心都有?"说完目光灼灼地盯住

我，要在我脸上找个凭证……

每次批斗完毕，我妈都会把脸凑到我跟前似笑非笑地问："我说得对不对？其实你心里早就承认了！"

我简直疑心，她不走是为了等我变态时及早送进精神病院，以免荼毒社会。

情形在我爸先行离开之后愈演愈烈。

即便我正坐在马桶上，我妈都会翩然而至，站在我面前剖析我们离婚的根本原因，无一例外地源于我的生理或心理缺陷。

这种剖析在我洗澡时达到极致——我妈突然推门而入，一脸亢奋，"你知道你为什么缺乏女人味么？"

我站在水龙头底下，吹着飘进来的冷风，一层一层起着鸡皮疙瘩，一把一把抹着脸上淌下的水；赤裸、瑟缩、披头散发，既像幼儿又像个囚徒，折磨起来大概特别过瘾。

我带着微笑点着头听她训诫。其实这时候可以偷偷流泪，反正脸上哗哗地流着自来水；可我太冷了，双手抱肩，牙齿打战，我忘了哭。

不坐班的工作方式突然成了负累，我毛遂自荐前往巴布亚新几内亚或者布宜诺斯艾利斯建设常驻记者站。头儿抱歉地摊手。我就抱怨这是个什么样的破世界，自愿充军发配都发不出去。我开始每天一大早就穿戴整齐坐进办公室直到满天星斗——发展下去很可能被评为报社的年度优秀员工。

这样做的副作用是很难拿捏回家的时间。

早了，我妈摇头，"下班就回家怎么找得到男人？"

晚了，我妈咆哮，"别以为离了婚就可以堕落！"

如果我说有约会，我妈会问："是男是女？"

答"女的",便不屑:"瞎耽误工夫";答"男的",便规劝:"以你的条件别太挑剔";若答"有男有女",便浮想联翩:"别乱搞"!

更可怕的是我妈白天专门在家养精蓄锐,搜集素材,只等我回来好万箭齐发。比如我把我拽到书架前指着里面的《圣经》《道德经》《古兰经》《金刚经》质问"看这些干什么?莫非你破罐儿破摔想出家?还出外国家……"

我直愣愣地走了神,觉得这情形似曾相识。心想当年我也是这么折磨猪的么?打着帮他自省的名义。他早该走——这种求生不得求死不能的生活。

己所不欲勿施于人,现在这样,算是报应么?让我也体会阶下囚的生活。

❸

我妈发了疯似的要拆掉我的家,据说新居黑白灰主色不仅说明我当时心态异常,更令她患上抑郁症。

"换成花儿的!鲜艳的!"我妈边转边嚷,"不想我死就马上换!"她用力拍着墙壁,"从窗帘换起!"

我坐在猪旁边,透过车前方的后视镜,看到后座儿的我妈正露出蒙娜丽莎的微笑,非常神秘。

我说过订窗帘的地方山高水远,我妈马上"叫猪开车来"。当然不能叫人家白帮忙,回家还要拽着猪进门吃她炖的柴鸡。

得知我将一套钥匙门卡暂时寄放在猪那里,我妈眉开眼笑,"欢迎他回来的意思吧?这么说他也意犹未尽?"

问过我分得了多少家私,我妈又说:"早晚还是你们的!你——们,嘿嘿。"

过了几天清静的日子,我妈又按捺不住了,"猪怎么没消息?他没给你打电话?你没给他打电话?"

或者没头没脑的一句,"我有预感,还没完,我真的有预感!"

新窗帘取回，金光闪闪，看久了要揉眼睛。对比之下，满堂家具都成了旧的。

我妈摇头，又牢牢地看住我，"看来还是得原配啊！""原配"二字说得极重。

日复一日，我妈想像着我们复合的可能性。"上次在电话里猪还管我叫妈呢我也只好答应。"她喜滋滋的，复又沮丧，"可是不叫妈也实在不知该叫什么。"

要说我妈是多么喜欢猪，又不尽然。如果我们复合，表面看来一切又恢复了正常；只要我们想遗忘，中间这一段就可以当做从未发生，生活好比绕了小小的弯路又回归正途——多么幸福！

这就是我妈的逻辑，光明正大，掷地有声。

❹

"请问，"我忍无可忍地给水晶打电话，"你离婚后令堂反应如何？"

"声称与我断绝母女关系。"

"如何相处？"

"躲。"

"躲不开，我妈跑来住我家。"

"请她走，不然迟早发疯。"

"已经快疯了。她不走。"

"劝她，说过段时间大家平静了再相处。"

"没用。她特为清理门户而来。"

"比死还惨。"水晶同情地叹气。

这感觉真要过来人才懂，否则只会高唱"世上只有妈妈好"指责我忘恩
负义。

"怎么办怎么办？"我接近呻吟。

"我给她打个电话，现身说法。"水晶大义凛然。

我眼圈一红，强忍哽咽。我和水晶之前并不太亲密，离婚后反而成了朋
友——事非经过不知难，同是天涯沦落人。

我没想到水晶的电话让我妈也满面红光，泪痕蜿蜒，"水晶说有合适的人
她会帮你介绍。"

我从此确实少挨些骂，只是我妈多了个挂念，"水晶有没有给你介绍
男朋友？"

时间长了仍无消息，我妈渐渐地从满怀希望变得失望沮丧，"做不到何必
害我空欢喜？"

又过了几天，我妈翻出通讯录开始给所有亲友打电话，"是啊，突然就离
了婚，对，像她的年纪的确不好找。二婚？当然行她自己也是二婚。有孩子？
后妈不好当吧？不过条件好也可以考虑。"

有时我妈会突然叫我，"过来和表姑说话。"之后把手扣在听筒上低声密
语，"我只字没提你的短处，说离婚全怪猪外遇。千万小心说话给人个好印象
人家才愿意给你介绍对象。"

每当此时，我只能接过听筒，耐心地把自己的离婚事迹陈述一遍又一遍，
满足各位亲友的好奇心，同时听他们夸奖，诸如："自己就把婚离啦真能干"、
"你条件这么好哪用我们介绍，你妈简直杞人忧天"、"倒是有个某某，只怕你
看不上以后有更好的我一定替你介绍"云云。

我不怪亲朋袖手旁观。这年头优质剩女处女一大把，我这样的货色的确

很难找到下家。我妈把难题推给大家，大家当然要客客气气地推回来。

把能找的亲友都找了个遍我妈仍意犹未尽，"请你那些同事朋友帮忙介绍男人啊！行情不好更要努力推销。"

隔三差五地又念叨，"我记得你的初中同学某某，高中同学某某对你都有意思来着。还有你跟我说过而我没同意的追求过你的某某，现在结婚没有？还有你表叔同学表姐哥哥的同事，出国留学的那个，据说对你印象很不错，不然你主动去找他？"

全世界都知道我找不到男人。

日复一日，我妈就在对我的愤怒、对复合的憧憬、对另一男人的想像以及对生活的失望中摇摆碰撞。

情绪稍好时也不能说她老人家没幽默感——

"你怎么也不知道早给自己预备一个？现在也不至于临时抱佛脚嘛。"

"猪不就是赚了点小钱么？不过换我也找个年轻漂亮的，不然干吗呀，一辈子的。"

"好歹落套房子，就当傍大款了。你看我干什么？傍大款不也就这结果么？"

"幸亏现在扔下你。要是再过几年，就彻底砸手里啦！"

我想笑又不敢笑。

笑是没心没肺，哭是顾影自怜，发呆是精神崩溃，专注是我行我素；索性面无表情，即被骂成麻木不仁。

考虑再三，我换上了领导人参加追悼会的面孔，就差握住我妈的手说"节哀顺变"了。

专业演员还有卸妆的时候，我一天二十四小时带着戏。

筋疲力尽，简直想把脸摘下来休息。

跟猪和平分手已经是在做戏。谁不知道扑过去打耳光扯头发最过瘾？没想到这戏一旦演起来就下不了台。

猪走了我妈就来，像商量好了一样，衔接紧密，严丝合缝。

我要求不高。不希望家人嘘寒问暖天天炖鸡汤抚慰，只想一个人静静复原。

连这个都办不到。

《聊斋》里有个故事叫《画皮》。说的是一个鬼怪披上美人皮来诱惑世人。

我情愿自己就是那个鬼。每天拿真面孔演戏肌肉迟早要僵掉。

都说"新社会把鬼变成人，旧社会把人变成鬼。"

何须那么复杂？

结婚把鬼变成人，离婚把人变成鬼。

我知道我像个吹胀的气球，只要再加一口气，就会立即爆炸。

❺

天寒地冻，我加班晚归，赶上生理期，饥寒交迫。

"你姑姑刚才来电话，要数落你离婚的事。等会儿她会再打来，你好好听着，不许还嘴！"回到家，我妈迎上来。

我立在原地，大口喘气，像条被抛上沙滩的鱼。

尖叫在寂静的冬夜里响彻全楼，像锐利的铁片划过一块巨大的玻璃。

我不停甩头——不像在尖叫，更像是在呕吐。

离婚以来，我总感觉自己像被包裹在蛇类胞衣一样湿答答的粘膜里，无法出声，动弹不得。现在终于重见天日——痛快。

我妈冲过来，"你疯了你！"

"你为什么不组织全世界的人来骂我？我也不好受哇！"我冲口而出。

"呦，你还有资格发脾气！"我妈嗤笑出来。

我簌簌发抖，"对，我离婚。所以你折磨我！"

我妈冷笑，"好好好，早知道你心里烦我，现在是当面发了话了！"

我也冷笑，"老鸹笑猪黑，自黑不觉得。难道你喜欢我？"

我妈不屑，"活这么大不知道什么叫忠言逆耳？你求陌生人数落人家还未必有空！"

我讽刺，"对，因为你爱我嘛，骂起来多冠冕堂皇。"

我妈像被戳了一样跳起来，"我的世界因为你全垮了，你竟然还有脸站在这里振振有词！"

我撑住桌子，"我有什么脸？我的脸早被你扒光了。"

我妈咬着牙，"你自私，你哪能理解我有多痛苦！"

"对，我自私，但不一定比你更彻底！"

我妈上来猛推我一把，"你为什么要离婚？为什么不拖住他？"

我蹬蹬地后退了几步，靠住墙，"不离婚就是幸福？你根本不关心这个，你只关心我看上去是否一切正常。"

我妈在我跟前站住，"一心一意为你，谁知道竟然落得这么个下场。我情愿从来没生过你！"

"厨房有刀，你干脆结果了我！"

我妈呆了一下，"跟我耍上浑蛋了！"

"你制造的产品，你当然可以为所欲为——你不就是这么想的么？"

我妈哆嗦，"好，今后咱们只当不认识，井水不犯河水！"

"谢天谢地。"我向卧室走去，"拜托你说话一定要算数。"说着啪一声摔上房门。

我妈咣当一声推开门，"好啊，终于露出本来面目了！"

我仰面倒在床上，翘起二郎腿大笑，"还不都是被您逼的！"

我的确疯了，我被最后一根细小的稻草压垮。

那么久的孝子戏统统白做，功亏一篑。

我知道自己应该继续忍气吞声强颜欢笑，但我开始痛恨做戏。

此时我就是火山，唯一的目的就是摧毁——摧毁挡在面前的一切。

❻

从那夜之后，我和我妈的关系变得非常单纯，除了攻击，就是沉默。

我们像困在孤岛上的两头饿兽，除了彼此撕咬之外别无选择。

原来两个人的较量也未尝不是浴血奋战，你死我活。

"真不知你的刻薄究竟像谁！"我妈上下打量着我。

我诧异地瞪大眼睛，"咦？当然像你呀，这么谦虚干什么？"

我妈："无关人等只会帮你痛骂负心汉，才不会像我这么一针见血。事到如今，说别人的错处有用么？我这是帮你反省自己！"

我冷冷地看她一眼，"这种事用不着互助。人还是学会反省自己比较好。"

我妈一扬眉，"我有什么好反省的？"

我故做惊疑地盯住她，"哟，都忘啦？非要我来提醒？"

我妈稍显忐忑，"提醒什么？"

我把脸凑到我妈面前，一字一句地说，"没记错的话，是你吧？当初我拒绝了他的时候，是你费尽心机，主动给他打电话联络吧？是你说他堪称丈夫的最佳人选催促我们结婚吧？现在我踩的地雷，是七年前你埋的吧？你以为你无辜？真是笑话！"

我妈呆了呆，半晌没出声。

命中要害。

一条蛇人立起来，嘶嘶吐着信子——被激起的报复心。

我长出口气，犹如饮鸩止渴，悲壮畅快。

年轻的时候谁没有几个追求者？猪是我最不喜欢的一个。

当初如果不是我妈执著地从中撮合，我的人生也许会是另外一副面目。

我曾经那么信任她，以她的意志为意志，把她的话奉为金科玉律，把她的生活当做我的生活范本过了三十年，从未怀疑。

我并不是不努力，可仍然事与愿违。

所谓"尽人事，听天命"就是这个道理。

我们费尽心机地为自己安排一种生活，以为这就是我们想要的，但生活本身却另有意志。

我一直小心翼翼地避免提及这段往事，因为怕她内疚。

只是她揭我疮疤揭得太多太狠，我也要她尝尝被揭疮疤的滋味。

想明白了，人类的情感世界真正荒凉。

我低估了我妈。

沉吟了一下，她反驳，"师傅领进门，修行在个人。"

我竟然被她逗笑了，"你就肯定领进来的不是条死路？"

我妈不耐烦，"大家都是这么过来的。"

"没有大家，只有一个一个不同的人。"

"你总是和别人不一样！"

"所以你恨我？"

"恨铁不成钢！"我妈永远是正义女神本人。

因为爱，所以要控制；因为控制不成，所以会恨。我一天没有归顺招安，她便一天咬牙切齿。

在爱的名义下，她全心全意地恨着我而不自知。

她走的时候我如释重负，过得自在逍遥，直到她在电话里说准备再来住上一段时间。

回忆像无数长着利齿的虫子，啃咬着身体的每一部分。我彻夜不眠。

这才发觉前夫是场水痘，痒过抓过，如今只剩下浅浅的印子。而我妈则是血栓，顽固不化，简直令人半身不遂，万念俱灰。

我拨一通电话过去，"别来。想到你，我比离婚时还痛苦一万倍。"

一阵咆哮之后，那边摔了电话。

彻底决裂了。

人人都是镜子，人家打过来一拳，自然也要回敬一拳，她爱我的时候，我也爱着她；既然她恨我，我也恨她。如果说有多少恨就有多少爱的话，世界上恐怕没有比我们更相爱的母女了。

和猪也是如此。

你无情，休怪我无义。

狭窄的世界，愚顽的我们。

❼

我像个面包胚一样坐在烘烤器底下烫头发，听见造型师余丹温和地与母亲通电话。

"喂，你怎么能跟你妈沟通呢？"我问。

她诧异："不沟通只敷衍，大家省事。"

"你妈不跟你强行沟通？"

"不。"

"怎么做到的？"

"从小学五年级起，我就没听过她一句话。现在她终于习惯。"

"你从未尝试把真实想法告诉她？"

"又不打算让她给我发奖状。活自己的最重要。"余丹耸肩。

我也学会了敷衍。母女比陌生人更客气。

然而我妈却责问我为什么不真诚。

她用尽力气，却发觉与之交战的是虚空，这让她火冒三丈。

"请问，"我抓住粟粟，"咱们的妈除了折磨我们之外还有没有别的事情可做？"

粟粟大龄，未婚，不肯将就嫁人，母亲为此赶来与她同居以便时时监测。

只见她认真地想了想，"折磨我们好像是她们余生的唯一主题。"

"要命的是我妈当了一辈子工会主席。"

粟粟大笑，"我妈也是！所以格外不能容忍我这种败类。"

"当了大半辈子模范公民，如今只等我们给画上个圆满的句号。"

"我妈的句号一直画不上，你妈好容易画上了又被你给擦了；一世英名毁于一旦，不气急败坏才怪。"

我俩苦笑。

不能说不爱。但这爱里究竟掺杂多少了俗念、多少欲求、多少专横，当事人自己大概也很模糊。

放长假回家，妈照例要跟我在床上开卧谈会。

说来说去，话不投机。

"你说话像吃了枪药，咄咄逼人，不可一世，听着的人像中了机关枪，五脏六腑都被打穿。我根本不看好你的第二段婚姻！"她咬牙切齿。

"你也一样，不然明天我找个录音机。"我说。

两人都仰面躺着，谁也不看谁的脸，盯着天上，像在憎恨天花板。

"几时轮到你挑我的语气了！"

"你是什么样的人，就会遇到什么样的人。世界是面镜子。"

我妈不耐烦，"听不懂！"

"你怎样对别人，别人就怎样对你。人之常情。"

"简直是忤逆！人家孩子谁像你？谁不是言听计从？"

"你要听真话；说了真话你又受不了。今后不如不说。"

"狗屁真话！"她发怒。

我叹口气，"有时候真感觉父母的爱是种要挟，强迫子女走他们指出的路……"

"妈的怎么养出你这么个大逆不道的东西？"我妈突然激动，"人家都歌颂母爱无私伟大，你倒好，竟然说母爱虚伪！"

我分辩，"没有——"

她一脚踹过来，"好，实话实说，我就这么虚伪。我根本就没爱过你！"

心里的火苗子噌一下蹿上来燎着喉咙。"那就别装了！"我冲她喊。

忽听身边哇的一声，我妈哭了，"对，我装。我恨你！我恨不得你死！我不是你妈，咱们一刀两断！"

我近乎残酷地沉默着。

不能解释，解释不清；语言一向是误会的源泉。

怎么也没想到她会哭，哭的一向是我。

看上去仍然很年轻很强大，但里头已经是老人的芯子，固执而脆弱——本来是想自卫，没想到无意中逼她现了原形。

我很愧疚。

我渐渐懂得了她的世界——安全有序，按部就班；见我不是这样，她就恐惧，下了死力要把我从悬崖边上拖回来；我还要挣扎执拗，难怪她震怒。

她想救我，却一遍又一遍地发觉自己无能为力。

她不明白，我的生命要我去体验，即便头破血流，也是我的头破血流。

语言和态度只是水墙，震源要到深海里去找。

胸中的石墙瞬间化为齑粉，随风飘散；心头轻松明净。

次日一早，我被摇醒。

"虽然你不爱听，我还是要说——为了你。说完这句我保证封嘴。"我妈瞪着我。

我一骨碌滚过去，双手勾住她的脖子，"讲和吧！"

她推我，"少来这套。"

"为什么一定要说服对方？谁是谁非并不重要，让我们无条件地相爱，好不好？"我把头放在她的肩窝里。

我知道她做不到。

她的世界已经封了口，她摸到了自己生命的极限高度。

她不会了解我，只会判断我，因为她永远假设自己是对的。

没关系。

我可以。

了解一个人，意味着永远不会恨，剩下的只有无限怜惜。

❽

"人为什么不肯正视自己？不肯承认自己有局限、自己的爱有局限？"我和五月在咖啡馆里聊天。

五月摇头，"有时候我会反省自己的行为，究竟是因为爱儿子呢还是出于虚荣心？但你很难要求我们的父母这么想，他们早定了型。在社会上谨慎做人那么多年，认为自己手里的一定是真理。你很难颠覆他们。"

"我也不过是实话实说。"

"要和气就少不了敷衍。"

"一定要这么虚伪？其实大家心里也都明白。"我激动。

"真相太伤人。"

"为什么要互相欺骗？为什么不承认再堂皇的袍子底下也露着尾巴？为什么总把自己当神？被戳破又恼羞成怒。"

五月看着我，"总不能否认你母亲爱你。"

我点头："当然。"又笑，"但也颇有'顺我者昌逆我者亡'的架势。"

鸟只会奉献虫；蛇只会奉献鼠。更多更好的是给不了了，不是不想，是不懂，不能，不会。

有情世界，局限的爱。

只是其他生物从不像人类一样动不动就说自己全能伟大。

"从前要求猪无条件地爱我整个人，爱我的一切。现在才发觉这要求有多荒诞。母女之爱尚且如此，更何况男女之爱。我自己也做不到。"

"太悲观。"

"不是，"我摇头，"只是从此拒绝将一切情感神圣化，无论亲情爱情友情。爱，也不过是七情六欲中的一种，不是十全大补丸，可以生死人而肉白骨。"

"简直是看破红尘。"她骇笑。

"接受真相，生活起来反而比较容易。很多时候，痛苦不过是因为期望远远高于现实。"

凡人之爱再高尚，也是掺了玻璃渣子的蜜，养人也伤人。

总不能用神的标准要求人——这大概就是宽容。

清醒之后的糊涂，才是智慧。

"向你道歉。"

又过了很久，我妈在电话那头说："我当时只顾泄愤，专捡疼的地方戳。其实该给你一个拥抱。"

我不出声。

一个人受了刀伤，结果人家拨弄着他的伤口责备，"一定是你不好，自己不小心……"

受伤的人当然也懂反思，但最迫切的需要是包扎伤口。

"让我们试着了解自己，宽容别人。"我说。

她迟疑了一下，突然问："你恨我吧？"

我心里一紧，像是作弊被捉，随即坦然，"不是恨你，是怕你。"

我妈咕咕地笑，"扯淡。怕我还敢和我顶嘴。"

她笑得很舒心，看来叫人怕是一件很得意的事。

"因为不了解你，所以怕你；因为怕你，才会刺猬似的努力反攻。今后再不会了。"我说。

那边沉吟了一下，"昨晚，梦里一个声音突然说'不要这样对她，她会恨你'。"

我笑："也许是你良心复发出来说话。"

我妈也笑，"去你的，就会讽刺人。"

❾

很偶然地看到电视剧里的一幕。

一位父亲先是痛打女儿的男友，之后又低声下气地求他娶她——因为她怀了孕。

先是打，后是求，这么极端的行为都是因为爱吧？虽然有自以为是的味道。

就像一堵毛玻璃幕墙突然坍塌，我记忆中的某些片段突然变得清晰。

当初我妈对猪一家委曲求全，是希望对方不计前嫌，重新接纳我吧？

破镜重圆，大概是她对于幸福生活的全部想像。

嘴里又麻又涩，大概是屈辱的滋味。

这种屈辱，她当时就应该品味过了——恐怕还要更强烈些。表面若无其事，心里火烧火燎地也只能对我发泄；偏偏我又不懂，只顾打点起全副精神反击她的张牙舞爪。

因为无知盲目而奋不顾身，我们的爱总带着荒诞的味道，磕磕绊绊，兜兜转转。

就像凡人的献祭。

永远是羔羊和面饼，粗糙血腥，但却是他们所能献出的最好的——这自私又无私、卑微又伟大的人类之爱！

"当初你姥姥极力反对我和你爸结婚，"我妈说，"还把我的被褥从家里扔出去。"

"比你还厉害？"我惊讶。

"我好歹算一职业女性。你姥姥的手段可全是家庭妇女型的。"

"后来呢？"我问。

"后来我们硬是结了婚，你姥姥说：但愿你将来生个更不听话的女儿，让你知道知道做母亲的心。"

"当时你怎么想？"

"我笑她是无稽之谈。"

"现在呢？"

"现在我把她的原话送给你。"

"你还怨她吗？"

"不。如果她活到现在的话，我会对她好很多。我太笨，快到六十岁时才明白她。"

"那你比她幸运，我在三十岁的时候就明白了你。"

"你怕么？"

"什么？"

"有个比自己叛逆十倍的女儿让你头疼。"

"怕。但你和她都是为了让我了解生命。"

生命是被落叶盖着的深潭，在岸边游移或许安全，但也等于没有活过；非要落了水，才知道其中况味。

　　成长没有止境。

　　我愿意等待，等待一切要走的，等待一切该来的。

负 心

一直要到分手才明白：我们都辜负了自己的心。

竟然是个梦！

从结婚，到离婚，这七年竟然只是个梦。

我的人生仍然如少女的额头般皎洁饱满，了无缺憾，并没有碰得头破血流。我心满意足地睁开眼，看见新的顶灯；四顾，是新的家具。一时间竟然恍惚：这是哪儿？

定神细想，我确实离婚了，这里是我的新居，我在梦里重温了结婚离婚事无巨细的全过程，这一夜竟然跨越了七年。

像有面镜子阻隔在昼夜之间，分开了两个世界。在这个世界里真实冗长的一切，在另一个世界里不过是个短暂的梦。

我不想起床。

起床意味着必须返回到镜子这边的世界，在这个世界里我很难堪。

小学一年级的班会上在众目睽睽之下尿裤子,或者大学考政治经济时因为作弊当场被抓,都不能与现在相提并论。

我欠大家一段冗长曲折的解释,我害怕自己根本无法解释清楚。

"你怎么会离婚?博客写得那么肉麻。我以为就算全世界的人都离婚你们也要白头到老。"水晶说。
每个人都这么以为。
甚至包括我自己。
就算要放手,也应该由我先来。

现在才明白生活低调沉默的好处:所谓自生自灭,也未尝不是种自由自在。
月满则亏,水满则溢,牛皮吹胀一定会破,大道理都可以信誓旦旦地说给别人听;轮到自己身上,纵然事情发生了也还是觉得有种不真实的隔膜。

善良的五月劝慰我说:不要计较得失,至少那些幸福的时光曾经属于你,坚不可摧。

但我并没有失眠或食不下咽,看从前的博客文章也不觉得刺痛,倒时时因为恬不知耻的肉麻而脸红。那些曾经的小小快乐就像吹过草地的微风,泛起绿色的涟漪之后便无影无踪,并未留下什么永恒深邃的痕迹。

我收到一封 Email,要求对两套香港特价度假产品含机票、酒店予以确认。细看资料,机票上是猪和一个叫 C 的女人。
虽然离了婚,但他并不介意仍与我共享携程卡上的积分。

圣诞吐故，新年纳新，多么紧凑的安排！

"麻烦你换新的联络邮箱。"我打电话过去。

"我会。对了，把你的相机借我用。"猪说。

"什么？"我怀疑自己的耳朵。

"你的相机呀，我要拿到香港用。"

"你自己的呢？"

"你的比较专业嘛，效果好。"

"你自己为什么不去买一台？"

"谁知道什么时候再用？那么贵，买不如借。"

我愣了半天，真正哭笑不得，"只此一次下不为例。还的时候别忘了把照片删干净。"

"那还用说？才不会留给你看。"猪得意扬扬。

猪从不愿意给我照相，我大概不是他心目中可以入画的那类女人。

我甚至相信，这个男人将来度蜜月时会咨询我哪个岛屿的性价比最佳，同时会问我是否可以帮他讲价打折扣，不知算不算不计前嫌。

奇怪的是并没有愤愤不平。

感情是沼泽，陷入容易，自拔困难；我们却进出自如，如履平地。

在菲律宾的海滩上，我看见一个小男孩专注地砌成一座高大的沙丘城堡。傍晚涨潮，只一个浪头，城堡就成了断壁残垣；再一个浪头，就只见一片黄沙，城堡像从未存在过。

也许我们的婚姻是用沙子做成的城堡，堂皇而脆弱。

❷

肖风曾经问我："喂，怎么会是和这样一个男人？"

怎么会？

第一次看到猪的时候，我马上感到后悔——后悔为这次相亲特地买了副隐形眼镜。

他的声音像是风吹过一根空的金属管；为了显示听得认真，我不时与这个男人对视片刻，于是看清了他酱黄色的脸、模糊的五官、寒酸的灰色棉大衣与巨大笨重的人造革旅游鞋。我避开他的眼睛，他的眼睛在沾满污渍的镜片后面闪烁，像两个小小的三角形的洞。

从假山上下来的时候他像绅士一样伸出手来扶我，却突然脚下一滑顺流而下。看着仰面朝天躺在雪地里的猪我放声大笑，毫无怜悯之情。

午饭吃到一半的时候他问我："咱们还有见面的必要么？"

我迅速估计了一下形势，反问："你觉得呢？"

他笑了，说声"有"，付了账。

"如果我当时说没有必要你会怎么样？"事后我问他。

"AA 制，各付各账。"他自得地回答。

第二次见面是在公司楼下。

看见他我说不上高兴，但很高兴能把礼物带进办公室——我那该死的虚荣心。

他送来的康乃馨用皱巴巴的报纸包着，玻璃花瓶打着施华洛世奇的 LOGO 却含着硕大的气泡。"假的。"同事说。

事后他说，外国都用报纸包花，花瓶是公司发的，员工礼品。

晚上去跳舞，他没有一脚踩在鼓点上，因为身形高大，所有的不协调都被放大，被他揽在怀里异常不自在，像对着一堵活动墙，碍手碍脚。

就算是被追求的虚荣心也不能减低嫌恶之情，我毫不犹豫地拒绝了他的第三次邀请。

那时我刚从大学毕业，充满幻想，理所当然地认为自己拥有大把的未来，许多可能。相亲，不过是生活的调剂之一。

如果事情就这样结束，那么我的人生会是另外一副模样。

但是。

"但是"这个词，犹如一个拐角，事情总是因为无数个"但是"呈现出九曲回肠的形态。

"你以为你年轻么？很快就老了。你以为今后机会大把么？相亲的规律通常是一个不如一个。"我妈这样说。

在这样的劝导之下，我怦然心动。

❸

我不知道，为什么在最该浪漫的青春时期，我却是无知而世故的呢？或者说，因为无知而格外世故，因为世故而格外冷漠。

我知道我曾经很想把头靠在一个男人肩上，他的二胡拉得那么忧伤；我知道我迷恋过另外一个男人，他有一双看不见底的深潭般的黑眼睛；我曾经爱上了一个身材修长的男孩，我们在办公室坐了整整一夜然后踏雪而归。但我很骄傲自己竟然把持得法，收放自如，不曾为"无用"的浪费太多时间——他们并不是最佳结婚对象。

我的时间要花在有用的地方。

我像干牛皮一样顽固，像花岗岩一样自负。

正如毕业是留京的最佳时机，年轻也是结婚的最佳时机，尽管结婚对我来说就像一团闪着金光的雾，看不分明。

人人都要升学。

人人都要就业。

人人都要结婚。

人人都要做到的，我就要做得比人人更好。

上更好的大学，找更好的工作，结更好的婚。

每件事都该有个目的。

人生就是从一个目的过渡到另一个目的。

念书是为了考试，工作是为了赚钱，恋爱是为了结婚，我的世界是这样清晰明确，一丝不乱。

❹

大学毕业后，我进入一家网络公司。那时它归属于高科技产业，占据了一片荒凉广袤的郊区。

和我同住一间员工宿舍的同事长我几岁，胸大腿长，眼亮肤白，只是牙齿大、长而参差，这让她的脸看上去像个佛手。

总的来说，这是个可爱的女孩儿，想嫁人的时候除外。

她常常抱着吉他弹拨，弹着弹着就哭了，问我她为什么嫁不出去。我不知如何是好，我又不能娶她。

某天起夜的时候我几乎被吓得魂飞魄散，因为一条黑影沉默地站在屋子中央。

拉开灯，我看见"佛手"拿着一把锋利的剪子。她突然冲我嫣然一笑，然后一把抓住自己的长发，咔嚓就是一剪。

还没等我从震惊的状态中恢复过来，她已经把头发剪成菠萝叶状，短扎扎地朝四面放射着。

"你疯了？"我上去抢她的剪子。

她嘿嘿地笑，"再嫁不出我就去做尼姑。"

我知道她的故事：与一个青梅竹马的男生苦恋多少年，最后对方另觅新欢，她竹篮打水一场空。

她反反复复地讲这个故事，她说自己一定要结婚。仿佛结婚就是报了仇。

那个时候，从公司回到宿舍需要经过一片又一片漆黑的麦田与苗圃。"佛手"每天都在凌晨两点左右穿着裙子独自穿行在飒飒作响的黑色叶片与枝条之间，眼睛锃亮，神情激动，像《聊斋》里的女鬼。她说她泡在办公室电脑上用 QQ "钓鱼"。那时 QQ 刚刚兴起，使用人群相当整齐，并不像现在这样鱼龙混杂，她立志要在上面找到一个丈夫。

我一半讽刺一半担心地问她怕不怕回来的时候被按在麦地里强奸？

她只是嘿嘿一笑。她无所畏惧。

"佛手"那年大概二十五六。就像大马哈鱼到了某个时期一定要洄游产卵一样，为此不惜葬身熊腹。女人在此时也被生育的本能催逼得心急如焚。

"佛手"的举动让我惊恐不已。我以为女人到了这个时候仍然嫁不出就只剩下发疯这条路可走。

我不能容忍自己这样可怜。

我要我的人生一路顺风。

❺

换个角度看,世界会不同。

如果只是从结婚对象的角度来打量猪,即便最挑剔的姑娘似乎也找不到拒绝他的理由。身高学历家庭工作,几乎样样属于中上水准;如果把眼睛忽略不计,面部也算凸凹有致。他没车没房,但当时的社会还远没如今这么直白,因此我的功利主义还保留着相当纯朴的性质;再说,要用发展的眼光看问题。

再笨的姑娘也知道这是个机会。况且我当时急于稳定了后方出去看看天下——没有什么比结婚更加方便现成的解决办法了。

我们又走在一起。

并不是因为我魅力巨大,他有他的故事。

"我曾经为她制作了一本举世无双的诗集,用的是半透明的白纸,像蝴蝶的翅膀,上面细细地压了花纹,里面印的都是她的诗,我亲自排版。"他说。

"我写了无数情书;我站在她宿舍楼下一等就是几个小时,她的同学告诉我她正在洗袜子请稍安毋躁;第一次去香港我买了几千块的香水和衣服给她,花掉了我全部薪水。"他说。

后来他帮她去美国,之后就是个老派故事:她甩了他。

或许从头到尾,她利用他。

"我再也不会那么傻,我成熟了。"猪信誓旦旦,"我要结婚。"

最好的结婚对象应该是个无知的姑娘,不会让人水深火热地陷进去——那时候的猪打定了主意要更爱自己一些。

　　猪邀我逛街，是为了给他挑全套的衣服鞋袜。"这是为了试练你对我是否有耐心。"猪说。

　　猪从香港给我带回的礼物是一件蓝色的无袖棉 T 恤，价值九港币。他要考察我是否安贫乐道。

　　猪要给我买一部新手机，只是因为"现在谈恋爱都送女朋友手机"。

　　我的文章他从来不看，我迟到了几分钟他都要抱怨。

　　一切都是按照计划进行的。

　　按照计划找一个姑娘，按照计划考察，如果通过考察的话，按照计划奖励。

❻

　　甚至接吻也是按照计划进行的。

　　送我回去的时候，我转身走进黑洞洞的院子。他用胳膊拦住我，我面对他，他的嘴唇仪式化地落在我的额头上。

　　很湿。

　　我很诧异，此时此地并没有适合接吻的情绪。

　　猪在卖弄。他以自己的年龄优势与性别优势在恋爱中占据主导。为此，他沾沾自喜。

　　一个吻表明我们的关系更进一步，尽管我们在一起的时间加起来还没超过二十四小时。

　　此后我们的约会变得非常简单：见面，找个僻静所在，然后他抓住我的手塞进他的裤子。

在这方面我知之甚少。

我以为这是最正常的男女关系。

我们每天通电话，有时候写电子邮件。每周大概约会三至四次，每次的节目是吃饭、看电影、散步、把手塞进裤子里。不约会的时候他发来 Flash，比如一只考拉举着横幅出现，横幅上写着"I Love You"。

"哦"我想，"他爱我。"心里会跳一下。

我想我们应该算是恋爱着了。尽管猪因为生病不能赴约的时候我很快乐地打着羽毛球。

"男友病了都不去看看么？"同事提醒。

"哦？应该去么？"我很疑惑。

同事疑惑而责备地看着我，我也疑惑而责备地看着他。

他大概是怪我冷血，而我则怪他多事。

我坐上公车去探望猪，既然人们说男友生病就应该如此。

"男友"这个词听起来很陌生。

其实没什么大不了的。

探望的结果还不是坐在他逼仄的小屋里把手塞进裤子，而猪的父母就在一墙之隔的隔壁。

❼

"我就是为了结婚才和你交往的，如果不想结婚，那我们就不要再浪费彼此的时间。"猪的语气像一把小锤子，像敲钉子一样确凿地敲着每个字，敲得我太阳穴生疼。

仿佛是我的魂附了他的身，借他的嘴说出了我心里的话。

我突然暴怒,摔门出去。

心里想是一回事,说出来是另外一回事;从自己嘴里说出来是一回事,从别人嘴里说出来是另外一回事。

我暗地里希望他有另外的理由,比如:他爱我,爱得发疯,不结婚毋宁死。

后来我道了歉,我不能无理取闹。

两个想结婚的人凑到一起不好么?事半功倍,志同道合。

我说服了自己。

想要"达成"的欲望不断促使我们说服着自己。

木夏说为了广告费她甚至能在四十分钟之内爱上任何一个客户。

"你必须努力发掘对方的优点,放大优点,你就会喜欢这个人。"

木夏的生意做得很出色。

喜欢谁都不太难,如果你打定主意喜欢他。

爱上谁都不太难,如果你打定主意爱上他。

我们努力地相爱,为了将来要结婚。

结婚之前当然要先相爱,这难道有错么?

我们都是规规矩矩的好人,我们按照好人的标准要求着自己。

下雨的时候我提醒他记得带伞,天冷的时候他把衣服脱下来披在我身上。

看上去也像情侣的样子。

但一切都是例行公事,因为心里的感觉是两样的。

就像小说或者电影,恋人们应该这么做。我们像盟国一样恪守着恋爱的各种准则,对于一切都给予正向的解释。

麻木是老实,压抑是深沉,懦弱是谨慎,贪婪是上进,幼稚是单纯,浮躁是活泼,刻薄是幽默,邋遢是不拘小节,虚张声势是充满自信,毫无审美是朴实无华……

到最后我们相信,再也找不到比对方更完美的人。

我们确定我们是相爱着的了。

我们确定我们当然应该结婚。

❽

钻戒是有的,玫瑰也是有的,甚至送到了办公室。同事围住我鼓掌说好浪漫。

我很得意,但也仅仅是得意。

"不管是跳槽还是升迁,左手无名指戴上戒指就有说服力得多,外企老板们很看重这点的。"猪说。

"我们不必再常常到外面吃饭。我可以省下一大笔打车费,现在光是送你回去每天都至少要花三十块。"他继续说。

"两个人生活在一起的成本比各自生活更低。我们可以合用一床被子,一张床,一口锅。"

时值夏末,我们站在北大校园里的小石拱桥上。晚风带着荷香温厚地穿过身体与头发,人仿佛浸在又缓又暖的河流里,路灯下的垂柳鼓动着明亮的黄绿色波浪,一切都是透明的,流动的,一切都在荡漾。

我仰着脸,等待着微醉的感觉;听完他的话,却像嚼了一嘴的沙。

就像存心要演一出好戏的名伶,却偏巧遇到一名木讷拙劣的演员同台出演,我急火攻心,大发雷霆,我恨眼前这个男人毁掉了我值得吹嘘一生的浪漫夜晚。

　　我并不觉得猪的求婚自私而市侩，因为当时的我一样自私和市侩。

　　"一定要甜言蜜语才叫求婚么？"他狠狠地挠着脑袋，"我不善表达。"他伸出一直在裤兜里揉搓着的一只手，手里是个小红包，打开看是一对戒指，戒面有黄豆大小。

　　他摊开手掌把戒指端过来，我赌气一推，戒指骨碌碌地滚到地上，猪慌忙蹲下身去细细地找。找到后再递给我，我不理。猪拉着我的手硬是往上套。我瞪他一眼，扑哧一笑。"太大啦，"我说，"也不知到底是给谁买的。"说着把戴着戒指的手绷直了立到眼前来看。"舅舅送的礼物，太大了我替你去改改。"猪说着扶着我的手也看。我用胳膊肘顶开他，"这就算完啦？"他疑惑，"还要怎样？"我哼了一声，"人家求婚可都要下跪的。"他为难，"人来人往的……"我立即把手上的戒指往下褪。"别别别。"猪像是横下一条心，张皇四顾，然后飞快地单膝点地又飞快地起立。

　　像终于听到了藏在监视器后的导演喊 OK，我们都长长地舒了口气。

　　"在办公室么？"猪在电话那头问。

　　"在。"我说。

　　"那我半小时后到？"

　　我不出声。

　　"好不好？"

　　"随你便。"我忽然有气，挂断了电话。

　　半小时后，猪举着一把玫瑰走进办公室。我低头佯作不知，直到他走到我面前说"嫁给我。"我才如梦方醒地"咦"了一声。

　　同事在一旁鼓掌起哄，我们两人却讷讷的，并不知道接下来说些什么才好。我只顾看那束花，对着紫色的玻璃纸、紫色的勿忘我以及白色的满天星不满，嫌它们太过土气。一眼扫到猪，又对眼前的人不满：领带上起了皱染了油渍，西装是前年的款式，鼻毛又龇出来——有人送花到办公室当然好，但也要看什么花、什么人。

一切都该是个惊喜才谈得上销魂；如果只是应我的要求，他才出场，来前还要电话预约，再浪漫的场面也像是知道了谜底再听谜题，索然无味。

但是，没理由再拖下去。

猪做了他所能做的，我得到了我想得到的。

我们按部就班地操练，一招一式都像电视剧里的浪漫情侣。

然而，就像慌慌张张地去赶国际航班，坐到位子上仍然满腹疑云：检查随身行李，好像什么都不缺，却又好像缺了什么很重要的东西。左思右想，只是不得要领。心中一直忐忑，生怕飞到半空才哎呀一声，脸色煞白，懊恼不已。

我知道自己心里有块地方，似乎是虚的，浮的，踩上去便会轰隆一声掉进深坑。然而我懂得如何让自己心安理得，我小心翼翼地绕开那块区域，只当它不存在。

公司附近的一家小饭馆里，猪递给我一饭盒煮熟的荸荠，我却哭得上气不接下气。他坐在对面，只能轻轻地碰我的胳膊，说着"嗳，嗳，别哭了"。胖胖的女服务员带着一副明了的笑容上着菜，其实不是那么回事。"要是我妈知道你有牛皮癣，非让咱俩吹不可。"我抽噎着，不知为什么那么情急，突然没法想像怎么还能再同另外一个人重复我们之间的种种经历，像是果农站在即将收获却遭了灾的园子里，看着满地的枯枝败叶不可收拾，那么久的努力突然一下泡了汤，急火攻心，只觉得全完了。猪一脸安慰与焦虑的神色，建议向我妈隐瞒事实。这并不难，在被我偶然发现之前，他也是一直瞒着我的，只等待着木已成舟。

"就像在雪地里遇到了一个摔倒的人，你背起他来走过一程，无论如何，是不能把他再丢下了。"我感叹地说，带着种牺牲的悲壮。

猪含糊地点着头，他什么都不明白。而我总算找到一个能把自己感动了的、高尚而悲情的理由。

"这个人看上去是在笑，可眼睛里却没有笑意。""佛手"如此评论猪。我没答话，心想"可是你的男网友远看像个枣核，近看像只老鼠。"

我们都不喜欢对方的男友，但并不妨碍我们相互祝福，各自结婚。

❾

人生如戏，这话男人女人都同意。分歧在于，女人以为结婚标志着好戏开场，自己终于可以作为女主角登上历史舞台；而男人则以为婚床上的大红锦被犹如幕布，将其拉拢即可谢幕，从此卸妆，照着本来面目过日子。

几乎从结婚那天开始，晚归就已经是猪的常态。

"如果晚回家，能否提前打个电话？"我说。

结果没有电话。

"我忘了。"他说。

"我又忘了。"他说。

"我没有这个习惯。"他又说。

于是，一个夜晚又一个夜晚，表针牵引着我的愤怒，一圈一圈缓慢而沉重地旋转。

终于有一天，猪一进门就傻了，然后一屁股坐在床上咧嘴大哭。

管灯上挂满了撕成一条一条的领带和衬衣，满地都是碎片——五颜六色的，亮闪闪的；碎照片上的半张脸还保持着微笑的神情，碎光盘像镜子一样映着屋子里的情形。

看着猪不知所措的模样我感到切齿的快意。

这是欢迎仪式，迎接猪的晚归。

"谁叫你不在乎我？"我说。

"在乎。"他申辩。

"在乎就不会不顾我感受夜夜失踪。"

"心情不好。"

"天天不好？"

"有事。"

"什么事？"

"男人有时需要独处。"

"那何必结婚？"

"这是两回事。"

"你不爱我。"

"爱，但这是两回事。"

"一回事。因为不爱，所以不在乎。"

"唉，在乎。"

"在乎？为什么不打电话回家？"

"忘了。"

"次次都忘？"

"确实忘了。"

"换作前女友呢？你也能忘了？"

"这是两回事！"

"一回事。因为不爱，所以不会记得。"

没有声音，我转过脸看猪，他已坠入熟睡。

我摇醒他继续话题,他打个哈欠再次入睡。打游戏的时候倒是精力充沛,听我说话仿佛是最佳催眠曲。

我躺在床上。床是一块荒凉的礁石,周围弥漫的夜像深不可测的海,又黑又冷,浪头一波一波打在我身上。我们背对着背,似乎相依为命,却是咫尺天涯。要离开,就像是刚上岸又重新翻身落水,一个人在茫茫的世界里载沉载浮——只要尚能将就,我们是鼓不起勇气离开的。

"两人头脑胜一人——在枕头上。"

这俏皮话俏皮得很片面。

两个人的寂寞有时更锋利孤绝,像一柄剑,泛着清冷冷的光,吹毛断发削铁如泥,碰上就是一道口子。

收拾东西的时候,在阳台的隐蔽处翻出沉甸甸的一大摞A4纸,足有《辞海》那么厚。纸是正反两面打印的,一面是摆成各种姿势的酥胸玉腿,全裸的,被缚的,另一面是文件,印着猪公司的抬头。

我从喉咙里轻轻地呵了一声,听上去像不经意的浅笑。站了半晌,挟了这摞东西回房,扔在猪面前。

"晚上加班好辛苦。"我两臂抱在胸前,冷笑着看猪。

他从电脑前扭过脸,屏幕上穿着盔甲的小人兀自一跳一跳的,映得猪的脸色忽明忽暗。

"不怕被同事看见丢脸么?用公司的打印机!"我提高声音。

猪不响。

"说话!"我的胸脯一起一伏。

仍然是沉默。

"说话呀!妈的,真脏,王八蛋!"

我咬牙切齿,第一次破口大骂,边骂边捡起那叠酥胸美腿,狠狠地朝猪的脸上摔过去。猪伸手搪开，不发一语，眼镜片上映出两片屏幕来，看不见眼睛。全裸的美女或美女的局部们横七竖八颠三倒四地飞了一屋子，玉体横陈躺了满地。

猪妈大概是听见声息不对，推门探看。

"这是怎么了？"她游移地从我看到猪，小心翼翼地发问。

猪不说话。

我也不说话。只是弯腰随便捞起几张纸来狠狠地撕。

猪妈用眼角往地上一瞥，只说了一句"早点睡"就悄无声息地消失在门背后。猪则往床上一躺，背对着我，片刻后鼻息已沉重起来。

我演了独角戏，演独角戏的，无论什么戏码，总像小丑。

一口气噎在胸口，不吐不快。

我拼命摇醒猪，要他给个交代。

他含糊其词，要睡，我就再摇，直到天光放亮——据说审嫌疑犯，都用这招，铁打的汉子都熬趴下，何况是猪。

遗憾的是，大闹一番之后的结果我竟然忘了，大意是猪承认了错误，保证永不再犯之类。

然而保证是保证，行动归行动。猪仍旧起早贪黑，一副天将降大任于斯人的样子。打印纸倒是从此不见，只是猪的电脑换了密码。

我并不是清教徒，不认为性一定是罪之门的钥匙，但从此心里留下了一处疮疤：原来猪心目中的对象是另外一副样子——奶油一样肥白无骨，可粘可吮，似乎随时可以瘫下去、化开来；况且这欲望又是如此强烈执著，即便是新婚之时。

他的取舍是很清晰的了——我得到了形式，但不包含热情。

胸腔似乎被塞进了过水的湿沙袋。继续追究下去显然像是小题大做——又没有既成事实，我只能带着湿沙袋若无其事地继续婚姻生活。

❿

按照猪的意愿,我们与他的父母同住。"爸""妈"地叫着,就像叫"张总""李总"一样毕恭毕敬,生活就像上班,我一向是个好员工。

一开始,我是打定主意要做个好媳妇的,我不明白自己为什么会挨骂。

因为买来的点心太甜,或者不小心打破了一个碗,或者炒菜时少放了盐,或者多说了一句话,都会引来一阵咆哮。手指直戳到我的鼻子上,吐沫喷到脸上,我呆呆地站着几乎忘了分辩。

这样暴君般的父亲,这样沉默隐忍的母亲,这样的家庭超出了我的想像。我原以为家庭生活应该像田园诗一样美好,或者二人转一样诙谐默契,就像我父母的家,虽然也争吵,但争吵也是亲昵甜蜜的,总有一个团圆的结局。

我不知所措,于是把自己关在房间里,手抓着胸前的衣服和肉,无声地号啕,憋得满面通红,耳膜一阵阵钝痛。

"从小他就这样,常往死里打我,号叫声满院的邻居都听得到。"猪说。"去春游,他不给我钱。我把一个苹果从体育场看台的最高层往外扔,苹果啪的成了一滩泥。这把我吓住了,我原本是想自己跳下去的。"顿了一下,他轻描淡写地说:"他就是这样,他有病。"

猪借口上班路远早出晚归,正好躲避见面。我不坐班,在家里的时候比去办公室的时候还多——顺理成章地当了好靶子。

"我们搬出去吧,再这样下去我会得癌。"我小声说,隔着门板,传来很大的电视的声音。

猪看看我,"买房交不起全款,按揭不划算;租房每月租金连生活费就要三千块,每年四万的支出是白丢了,更不划算,再等等。"说完又去打游戏。

算盘打得山响。心绪与情感,在他看来是不必计算在内的。我开始了解他的世界:一切都是看得见摸得着的,一切都有据可依,有案可查,一切都有个价钱。

我仍然拉着他到处看房子，推托不过的时候，他也去，只是手里捧一本砖头厚的小说，一路低着头看，站在公车站看，坐在公车上仍然看。同他说话，十句里有九句是没回答的，唯一的回答是："哦？"从书里张皇地转过头来，又匆匆地别回去。

和死人出去也许更舒服些，起码不用指望死人会讲话。

"别看了！"

坐进地铁，我冲他喊。

他不解地看我一眼。

"毁眼睛你不知道？你弱智啊！"

断断不可因为被男人冷落而暴跳如雷，否则就成了自轻自贱——我此时单挑冠冕堂皇的理由来骂。

他百无聊赖地合上书，从兜里摸出手机来，戴上耳机。

我以为他要打电话，看看又不是。

"干吗？"我要冲他喊他才听得到我说话。

"听收音机。"他一脸坦然。

嘈杂的地铁车厢突然成了地球末日的一片荒原，只剩下了我们两个幸存者，身边这人却还自顾自地戴着耳机！掺杂着荒诞感的愤怒像地狱里的蓝火苗，燎得我的心脏滋滋作响，似乎要滴下油来。

下了地铁，手机又换成书。

不声不响地一路忍回家，一开门，我劈手夺过猪手里的书，中分开来，错着两条胳膊狠狠地撕。书太厚，一时撕不动，于是从封面起五页八页地一路撕将下去，边撕边低哑着嗓子挤出话来："叫你看！我叫你看！"撕完一股脑地扔进垃圾桶，又觉仍不解气，于是一脚将垃圾桶踹翻，双脚在那堆残页上一阵蹦跳踩踩。似乎是将情敌碎了尸，好歹吐尽了胸中的一口恶气。

猪爸不在家，猪妈惊异地瞪大眼睛立在门边看，沉着脸一言不发。

怒气渐消，我隐约知道自己又做了跳梁小丑，然而不如此这般的发泄只恐心脏会爆裂。

细究起来，猪的老实其实是种很深的漠然。

他对整个世界漠然，我可以夸他清高；他对我漠然，我是一定要报仇的。

此时就算放一本《圣经》在眼前，我也只会记住"以牙还牙，以眼还眼"八个字。

我要做他世界的中心，否则就是失败。

男女关系上，我算是个弱智儿；人心对我来说很隔膜——换成现在也许一眼就能看穿猪的心事，打闹质问似乎都不必。但当时不行。我要一次次地证明猪的真心：显意识要他承认爱我，因为潜意识里知道他并不。

"你根本就不在乎我。"回到房间，我说。

"在乎。"猪跟进来把门掩上，答得飞快，怕麻烦的表情。

"在乎就不会这样麻木。"

"怎么麻木？"

"还问怎么？一路你看什么书？不知道我在身边？你死人啊你？换以前的女朋友，你恨不得跪下来替人家舔鞋子，到我面前就装柳下惠，不想过了说话，谁不敢离婚谁孙子！什么东西！"我一边摔摔打打，一边骂骂咧咧。

猪叫苦："唉，那都是很久之前的事啦！"

"那时候你能写情书买礼物楼下一等一下午，为什么现在不行？你说你陪我逛过街么？也就谈恋爱的时候有两回吧？你给我买什么了你？"我拉开柜门摔出两件衣服，"就一破背心，一破短裤，看了都脏眼睛！"说着一把抓起来就开始撕。

猪连忙上前按住，"别呀！那是年轻冲动！现在成熟了。平淡是真。你想要那种肉麻短暂的激情？再说咱们还得攒钱买房子，能不节约么？"

"为什么对别人行，只是对我不行？反正你就是不爱我！"我像个长跑运动员，气吁吁地跑了一圈又一圈，总能回到起点。

"爱，爱，哎呀！"猪一脸急迫，声音开始不耐烦起来。

我冷哼一声。

"别闹了行不行？"猪抓住我的手，我甩开。猪再抓，"我错了，我以后路上不看了还不行么？"

我沉默片刻，之后道："心里有自然会做出来；做不出来一定是心里没有。"

猪揽过我的肩膀，"你得原谅我，我就是不善表达。"

"平淡是真"和"不善表达"是猪的两扇金盾牌，轻轻一架就抵挡了我的千军万马。

我努力相信他的话；然而人可以说服逻辑，却无法说服感觉。

我无论如何也不相信一个曾经打印诗集和在窗下痴痴等待的人不善表达。非不能也，是不为也。我深感挫败。

猪的话句句在理，可就是因为太在理了，所以与感情无关。我心目中的男女之情应该像火一样烧得人六神无主理智全无，否则怎么配叫"感情"？

因为找房未果，所以只能时而打打闹闹时而装聋作哑地继续忍下去。

夜里赶稿子，不敢开灯，漆黑一片里只有屏幕的光亮照着键盘，猛然有人擂门大喊："到底让不让人睡觉！"我的心脏几乎骤停——每当猪爸起夜时发觉我们门上方的玻璃上闪着隐隐的光亮便会如此。

有时我们两个人悄声说着话，突然听到隔壁苍老的声音："有什么话明天说吧都几点啦！"那是听觉敏锐的猪妈。

然而当我们的床暧昧地吱嘎响着的时候，屋子里的气氛是别样的。猪喜欢发出猥琐的笑声，并且要求"再开大些，再大些"，薄如纸板的墙壁那边一片静寂，连猪妈那几乎不间断的咳嗽都一声不闻。而一定等到我们哗啦哗啦地冲洗完毕回屋躺下，猪爸才趿着拖鞋出来起夜。

猪翻身睡熟，我却咬着手指，咬到指尖发白。

又想起前些时"抄没"的 DIY 打印版艳照，觉得自己不过是摸黑做了画中人的替身，胃里不由地涌起一阵恶心。

对于我来说，性意味着耻辱。

"你给我过来！"

某天，我还不明白发生了什么，猪爸已经拽着我的胳膊把我拖到客厅，"这么多水，你成心么？"我刚刚擦过地，不过是复合地板，又只是微微有些湿。然而他却滔滔不绝地咒骂着，我感觉自己站在一条被阳光暴晒的街道上，一盆又一盆污水从头到脚地淋下来，浇得我满身污秽，毫无尊严。

我夺门而出。

回来的时候我拉着一个特大号的旅行箱，打开柜子，把衣服一件一件地往里装。

"干什么去？"猪妈问。

"搬家。"我说。

"是去机场吧？"出租车司机对着后视镜问。

我说了一个地址，那是我一个单身女友的家。

⑪

我们的分居长达半年。我像个野孩子一样怂恿猪搬出来住，猪只是游移。

我知道他并非因为经济困难，也绝谈不上是出于孝顺，他只是麻木与习惯，况且又能省钱——就是在搬与不搬的蹉跎里，他渐渐失去了我的大半信赖和尊重。

　　某个周末，我们相约吃饭，就像一场约会。也许是因为很久不见，猪倒是流露出罕见的温情，把自己面碗里的整虾挑出来，细细地剥了壳儿送到我碗里。

　　也许因为类似的举动太罕见，我突然一阵感动，感激地瞥了他一眼。

　　这次见面，原本我是要提离婚的。

　　那时有个男人正在为我写热烈的情书，帮我做我想做的一切，"我可以为你去死。"他说。"打我耳光，来，打，只要你觉得爽。"他说。支配一个男人的感觉让我陶醉而恐惧。

　　还有另一个男人，我们从前一直不动声色地默默相爱，我恼他毫无明确的表示——于是戴着结婚戒指在他面前笑着炫耀，看他错愕的表情，心里有种残忍的快感。婚后他倒找上来，两人见面的时候总沉浸在温暖羞涩的兴奋之中，照这样下去，不知会发生些什么。

　　我想还是离婚比较好——其他的每一种可能性都像一株破土的幼芽，拱得人心里痒酥酥的，未来当然是不可知的，但不可知的才拥有神秘的吸引力。

　　"我们明天去看房子吧。"猪看着我的脸色，审慎地说。

　　"去哪里？"我倒吃了一惊。

　　倒了一趟公车又一趟公车，人烟与房子都稀少起来，我怀疑是否已经出了北京。同车一人操着浓重的东北味儿大声感叹："哎呀妈呀！这是到长城了吧？"

　　房子小而简陋，但我们还是以最快的速度买了下来，搬进去。

　　对于安稳生活的向往再次压倒冒险主义的激情：一鸟在手胜于两鸟在林，谁知道闯出去将来是个什么结果呢？房子可是沉甸甸地立着的，墙敲起来发出厚实的咚咚声，厨房弥漫着人间烟火的味道，黯淡的灯光底下似乎是永恒不变的日子。我第一次可以喜滋滋地按照自己的意愿将物件陈设起来，与这感觉相比，其他的一切都变得遥远飘渺，弃不足惜，包括那些爱我的和我爱的。

床用的是旧床，硬木框子，棕编的床垫，上面只铺着自制的薄褥子，像睡门板一样，邦硬；身上压着一个人的时候，尤其觉得硬，似乎整个人都被压扁了，喘不过气来。

一朝获得独立，似乎也就解除了顾忌。从没见猪这么兴奋过，像是守斋多日，终于开了荤。

我很配合，似乎觉得这是对猪的应有奖励。然而突然之间，心里一阵委屈，眼泪突然涌上来。

猪一惊："怎么了？疼么？"

我也没法为自己的情绪找个合理的解释，于是就势点头，"疼！"

"奇怪，还没开始呢！"猪扳住我的肩膀，再挺身。

我用力撑住他，大声喊疼。他再动，我突然哇哇大哭，似乎有满腹委屈，但即便自己也不能细细地说个明白，愈发急气攻心，只是放声大哭。

猪显然是受了惊吓，翻身坐起来，伸手摸我的头，"这到底是怎么了？"

我甩开他的手，坐起来，仍旧泪如雨下，只是说不出个原因来。

我的身体反抗了我的意志，它听从本能的驱使，拒绝和猪做爱。

我那时不知道这就叫做"不爱"。

我相信婚姻制度超过相信自己的感觉。

人一旦无知起来，简直无知得可怕。

⓬

性当然不是生活的全部，其实没有什么是生活的全部。

猪在电视里看了美食节目,周六忙着学做"小金鱼"饺子,现置备了面粉、面板、擀面杖,在厨房忙得团团转,弄得一头一脸、一天一地的面粉不收拾,却得意扬扬地让我赏鉴他的作品:用胡萝卜汁和了面,前头一个三角形的饺子后面拖着四片儿面,整个儿呈暗红色——只是面像牛皮一样硬,又没控制好尺寸,每只都有半尺来长,我从未见过如此巨无霸的小金鱼。当时嗔怪他糟蹋东西,但心里简直笑翻。

秋天来临的时候,猪买了一兜柿子,仔细地摆放在五楼的窗外,每天都要拉开窗子,一个一个地捏过去,有时还要拿在手里对着光细细地端详,喉结上下滑动着,盘算着何时才能入口,其急切热爱的神态,正如一个勤勉而志向远大的农妇侍弄她那即将孵出小鸡的蛋。

天渐冷,柿子见软,猪伺弄柿子们的表情也愈见柔和。不想突然有一天,猪大叫:"哎呀!"我匆忙跑去看,以为他掉了一颗牙,猪的手里却捧着半个柿子,汁水淋漓,看样子是被院儿里的喜鹊捷足先登了。猪痛心疾首,将余下的柿子一一仔细地审视过,重新摆在外头。

第二天,猪复又大叫:"无耻!太无耻了!"我赶忙再去看,只见猪又拿着一个汁水淋漓的柿子,看样子又被鸟吃了一半。"怎么了?"我问。"它们又攻击了一个新柿子!"猪怒。"昨天剩下的那一半呢?都叫它们吃光了?"我问。猪拧着眉毛,"什么呀,昨天那一半是我吃了!"我惊异,"什么?你把鸟吃剩下的吃啦?"猪愤愤:"我当然先拣烂的吃!谁知道鸟们这么无耻,自己倒又挑了个新的!"话音未落,我直接笑倒在地。

结婚的时候,我并不知道猪有这样稚气的一面,如今这倒成了最吸引我的东西。

于是我们一起看动画片，看漫画书，去海边放风筝。猪不知从哪里买来一个半人高的机器猫风筝，线绳却只有三五米长，放起来只见一个巨大的圆脑袋怪物在一黑大汉的上方摇曳，满海滩的游人竞相侧目，蔚为壮观。我笑得在沙滩上打滚。

我讨厌男人以成熟为名故作深沉，满腹市侩，一个人总要有些真性情，否则活得不能尽兴。为此我鼓励猪的一切"幼稚"行为，自认为对他有几分知遇之恩，有时心里暗暗地对自己说："我是懂他的。我欣赏他所不为世俗欣赏的东西。"这样想着，心里便有温暖的感觉升上来。

"楼下的车真是讨厌。"猪掀开窗帘望着楼下。

楼下停着一辆邪恶的黑跑车。想必就是它了，每天半夜轰鸣而至，清晨又呼啸而去，惊醒我们这对梦中人。

"咱们堵它排气口吧！"我说。

"拿什么堵？"

"土豆儿怎么样？"

猪笑："最好是熟土豆，塞得结实，没缝儿。"

于是我下楼丈量排气管的直径以便购买合适的土豆，猪站在一旁望风。

没等我们的土豆煮好，"黑跑"似乎预感到将遭不测，从小区里销声匿迹了。

我们倒是又笑又叹，就像小时候将泻药放进可恶班干部的水杯里的计划落了空。

其实即便能动手我们多半也不敢做。

能在一起过上七年，总还是需要几分默契的。

⓭

搬出来住之后的某一天,我在小区门口的公车站等猪,却眼睁睁地看着猪走向我身边站着的女子。那人穿了件紧腰身、圆下摆的薄呢子大衣,胸口露着贝壳粉色的衬衫,浅紫长靴,一张矜持的白脸上两腮和眼睑都被冻得粉红,有种近乎戏台上旦角的娇媚,长发飞扬,仰着脖子,姿态冷若冰霜,却不知从哪里带出几分挑逗的意思。猪眉开眼笑地走到她面前,突然换上一副惊异的表情,又仔细地看了看,才转过身来站在我旁边。"你竟然认错人?"我压低声音狠狠地掐住猪的胳膊。"我以为你肯定是最漂亮那个嘛。"猪也压低声音,委屈而兴奋,不断拿眼角睨着那女子,那是他心中的模子。

结婚超过四年的时候,他还根本不认识我。

我应该梳齐刘海儿,穿粉红色的蕾丝旗袍,温柔羞涩,小鸟依人。

如果我和他的想像不符,那么一定是我的错。

我偏偏不肯妥协。

我对他向往的女性形象嗤之以鼻。

就像他执拗地希望改变我一样,我执拗地要他接受我原本的样子。

他越是要求,我越是感到屈辱,因此越要往相反的方向走;而我越是抗拒,他越是要求;求之不得,便另谋办法。

我出长差回来,猪到机场接。

"你都不说清楚到底哪天回来!"猪边打方向盘边抱怨。

"咦?你不是来了么?"我诧异。

"昨天还白跑了一趟呢,二十块过路费。"猪愤愤。

我笑他笨。

"你短信只说后天,不知道欧洲和北京有时差啊!谁知道哪个后天?"他抱怨。

我仍然笑，突然猪的手机响。我随手拿起来替他看短信。猪似乎不耐烦，
"别管它，肯定是垃圾。"我手比他嘴快，打开一看，当时就是一顿。没照镜子，
但我知道自己的脸是沉下来了。

"谁？"我转头盯着猪。

"啊？"猪似乎是若无其事，全身却紧了一紧。

"喜欢和你在一起的感觉，希望下次还能和你一起看演出。"我读出了短
信，"这是谁？"我问。

"哦？不知道哇，肯定是发错了，删了吧。"猪边说边伸一只手过来抢手机。

我一侧身子，躲开了他的手。

"说，谁？"我厉声。

"哎呀，都说是发错了。"猪拧着眉毛，一脸不耐烦，不耐烦里透着张皇的
神色。

"发错了？"我带着嘲笑，把"错"字咬得特别重，一面目光灼灼地盯住
猪的脸。沉吟了一下，用免提按着短信的号码拨过去，那边是个女声，亲切地
呼唤着猪的名字。

"你谁？"猪赌气似的问。

"我啊，你不记得了么？"女声委屈而诧异。

"你打错了！"猪似乎生了气。

"你不是某某么？"女声迟疑地问。

"对，我是，但我不认得你。小姐，你打错了。"猪无奈地答，说到最后声
音几近哀求。

"你真的是我认识的某某么？"那边的女声反复说，一唱三叹似的，惊异
而哀婉。

猪一手扶住方向盘，一手用力地从我手中夺过电话，车在马路上划了条

弧线，与对面的一辆"小卡"擦肩而过。"我操你妈！"那车里的司机扭过脖子涨红了脸，吐沫几乎飞到我们脸上。

猪也涨红了脸，一声不响。

我同样一声不响。脚下的水泥路恍惚间突然向四面八方延展，成为一个看不到边际的水泥广场，我立在当中，被大太阳没遮没拦地照着，眯眼看去，举目是茫茫的铅灰色，反着白呲咧的阳光，此外空空荡荡，一无所有，甚至没有风；绝对的寂静中有种紧张，犹如弓弦被拉断前的最后一秒——似乎有个炸弹马上要落下来，而我却无处可逃，霎时间出了一头一身的汗，自己却似乎不觉得，心下只是一片茫然的愤怒。

"你说实话，到底怎么回事？"我嘭地摔上家门。

猪的喉头蠕动，嘴唇黏合在一起，似乎分不开，看上去像是渴了。

事情很简单。

猪拿了两张话剧票，在剧场外面邀到一个大学女生一同入场。事后他送她回去，路上似乎没少了意短情长，此后一直联络——票是我托朋友要了送给猪的，他说要和自己的姐姐同去。

"我错了，你原谅我！"猪突然扑通一声跪倒在我脚下，抱住我的膝盖。

我正拉开柜门脱大衣，顺手抓过摆板上的一摞白色名片，狠狠地摔在他脸上，啪的一声，屋子里像下了雪。

"没发生什么！相信我！"猪捂着脸哭，鼻涕流到嘴里。

"心都泼出去了，又何必一定要发生什么？"我撒开手站在屋子正中冷笑。大家都是成年人，谁还不会脱衣服？

猪哀哀地解释。

"别说了，我累。"我倒在沙发上，闭了眼睛，头嗡嗡地响——也许是时差。

猪窸窣地在隔壁房间活动，那声音像个自知理亏的人，小心翼翼的。

　　躺到半夜，我坐起来，跑出去买烟，一根接一根地抽，边抽边哭，然后呕吐——因为平时不抽的缘故。心下却是一派茫然，不知怎样收场才好；整个人像坐在雾里，理不出个头绪。

　　猪蹑手蹑脚地潜过来，递来一张纸，上写："离婚协议书"，上面注明一切财产归我所有，他净身出户。

　　我猛地扭头看他："离婚么？"

　　猪立即刷刷几下把协议撕个粉碎，仿佛怕我后悔似的，伸手抱我。我一把推开他，奔进厨房，打开柜门，把碗碟不停地朝墙壁砸过去，各色瓷片像流星般飞溅过来。

　　卧室里没开灯，猪坐在床上，双手抱着头，一动不动。我冲过去拍打墙上的开关，因为不停地哆嗦，所以拍了几下灯才亮。我看见了一墙喷射状的红点子，我的手上嵌着碎瓷片，汩汩地冒血，脚上和脸上也是。

　　猪找到创可贴，默不做声地替我处理伤口。

　　忽然之间我觉得恐慌。

　　我已经习惯了身边有人，几乎忘记了离开他应该怎样生活。

　　他说改，我也就顺水推舟地信了他。

⑭

　　风波平息之后，猪仍旧晚归，仍旧没有电话，打过闹过依然如此。有时候猪手举两串羊肉串乞求我开门。但羊肉串太多也失了灵效，于是半夜里一个门里一个门外地吵。

　　"你到底在办公室干什么？"我穷追不舍。

　　"和同事聊天。"

　　"聊什么？"

　　"工作上的事，你不懂。"

不久后同事开始到家里做客——女同事，不久就做成了常客。来了便总是犹如一块将化未化的糖，将倒未倒地倚着门框，仰着脸，手扭在背后绞来绞去，因此胸突兀地挺出来，衣领很低，唧唧哝哝地和猪说话，两人的表情都很专注，不时轻笑，声音在三十公分之外听着就很含糊了，于是他们的距离总保持在三十公分之内。

我在厨房做饭，用眼角瞥着这一幕。

不知道为什么，并不愤怒，只是觉得滑稽好笑——不过是个矮胖的少妇，长着双灵活的吊梢眼，肌肤丰泽到像是没长骨头，总是穿紧的身化纤大花裙，似乎与猪的梦想相去太远。

对于他们，我很难展开进一步的想像。

在性这件事上，我自己是宁缺毋滥的，总以为别人也和我一样。
我高估了男人的本能，也可能低估了它。
无论如何，我肯定是高估了自己。

猪有牛皮癣。
猪不懂交际，与上司的关系更是势同水火，结果常常抱着纸箱子回家。
开车他总是要问别人北在哪里，连环撞总是他最后一个追尾。因为追尾被人挠破了脸打碎了眼镜，还要我去公安局接他出来。
送我去机场，为了省五块钱的高速费他一定要绕远，结果我误了飞机。
外出旅游，他拿了三年前的攻略带我转来转去，走到脚软还是不得要领。
猪永远没学会穿衣服，一天没有我的打理便一天不伦不类。
猪不做家务，每次我出差回来，第一件事便是大扫除。
对于音乐、摄影、绘画、舞蹈等等一切与节奏色彩相关的东西，猪均表现出体内顽固的抗体，"我不懂。"他说。猪是个彻头彻尾的实用主义者，对于

家居情调没有分毫兴趣。"我永远不会为设计掏一分钱。"猪振振有词。他与
"美"这个字的联系大概仅限于"美女"与"美食"。

　　……

　　有时候我觉得猪和他的牛皮癣与臭袜子一样不可救药。

　　而我俨然成了这世上唯一一个志愿者,毅然投身重灾区,从此头上多了
个光环,因为从人群中解救了一个孤独卑微的灵魂——除了我还有谁会接纳
猪呢?

　　现在想来,也许,在猪眼里,我才是那块"重灾区",他则化身舍身饲虎的
佛陀。

　　两个人都成了富于牺牲精神的人物,带着崇高的悲剧色彩,一想到自己
是别人生活的唯一支柱,简直被感动得落下泪来。

　　⓯

　　猪迷上了电视征婚节目。一语不发地仔细看完,然后满腹心事的样子。

　　终于有一天他说:"我这条件很有行情呢!"恍然大悟的语气。

　　我嗤笑:"什么条件?都是画皮!谁想来接您这块重灾区赶紧说话啊,我
巴不得解甲归田呢!"

　　猪不语。良久,突然问:"真的么?"

　　我浑然忘了刚才的话茬,"什么真的么?"

　　猪沉吟了一下,笑着问,"你是说离婚吧?"不经意的语气里有种因为期
待而引发的紧张。

　　我不说话,审视着猪的脸。

　　他笑得更厉害,"我说着玩哪!"

　　我去巴厘岛出差,猪请了年假同行——倒不是舍不得我,是舍不得有便

宜不占,毕竟可以省下机票酒店好大一笔开销。

　　每天,我在炎炎烈日下跑东跑西,忙着采买道具布置环境招呼造型师、模特、摄影师,从早到晚。同事有时递过瓶水来,有时道声"辛苦"。猪只悠然地穿着我给他买的白亚麻衬衫,贵族一样独自坐在海边晒太阳,或者去打高尔夫。等我筋疲力尽地回到房间,猪却躺在床上看电视,换下来的脏衣服扔了一地。我把它们扔在浴缸里,边洗澡边踩,算是洗过了——总觉得洗衣房的钱花得冤枉,而猪不闻不问,视而不见。我不免疑惑:即便从前他不特别殷勤,也总不至于像这次特别不殷勤。

　　晚上,家里。我打字,猪看电视,一个老爷太太姨太太的故事。

　　"过去好啊。"猪突发感慨,"一个男人可以随便娶他喜欢的女人,人数不限。"

　　我看他一眼。

　　"即便又喜欢一个,也可以不必放弃从前那个。"猪也看我。

　　我哼一声,继续打字。

　　"有时候两个都不错,干吗一定要二选一?你说呢?"猪扬声问我。

　　我转过头来,"辜鸿铭为一夫多妻辩护,说一个茶壶当然可以配四个茶碗,天经地义。"

　　猪期待地看着我,眼睛里有千言万语似的。

　　"有人用《金瓶梅》里的话反驳他说:一个碗里两个勺,不是碰着就是抹着。"我说,继而是鄙夷的口气,"吃着碗里看着锅里。你什么时候能超越动物的本性进化得高级点儿呢?"

　　猪显出失望的样子,又不甘心似的问:"那你说应该怎么样?"

　　"磊落一点不行么?就说爱情已逝,另有新欢,珍重再会。了结一段再开始另一段,我觉得这样做人比较干净。"我噼里啪啦头头是道。

　　猪若有所思。

我微微觉得奇怪，不知猪为何突然儿女情长起来。但这疑虑也只是一瞬，犹如路灯下一个匆匆的影子，没等人看清就已经转过了街角。

"今天有事，我晚点儿回。"我打电话。

"没关系，我也有事，也晚回。"猪在电话那头的声音里有种按捺不住的欣喜。

"完事一起回家？"我问。

"好，"猪迟疑了一下，"再电吧。"

夜深，淅淅沥沥地下起雨来，不大，但缠绵。我拨猪的电话，无人接听。地铁错过了末班；家远，出租车的计价器总跳得人心慌，于是跑回办公室躲雨，时值深秋，一路跑着，嘴里呵着白气，雨水顺着头发流下来，像洗冷水澡。整层办公楼几乎是漆黑的，我打开灯，盘腿坐在办公室的沙发上，一遍一遍地拨电话，永远是无法接通。衣服上的雨水好像一直渗进心里来，凉飕飕地泛着潮气，我打了个哆嗦。

"你的手机，怎么打不通呢？"猪比我晚回家。他进门劈头就是一句，却语气柔和，带着试探的味道。

我一语不发，直接拿过猪的手机拨号，那边我的手机立即吱吱扭扭地唱起来。

我看着猪，等待一个解释。

他脸上的表情是陌生的，几乎微微带着笑意，眼睛似乎穿过我望到了很远的地方。

我不说话，他也不。

猪自顾自轻快地脱外套、洗脸、刷牙——罪犯自首时豁出去了的轻快，从此再也不必为自己的命运负责，所以带着无赖般的无畏。对我来说，这轻快分明是种挑衅,而这挑衅就是他的回答。

像爬在很高很长的梯子上却突然一脚蹬空,我急速地下坠,想不清楚到底哪里出了问题,但也明白是大势已去了。

后来我知道那段时间猪在和"公主"约会,那个雨夜他们当然在一起。

"看电视的时候我问你喜欢两个女人怎么办,你教我弃旧布新。"猪理直气壮。

除了嗤笑我实在不知该做何表情。

原来一直以来他不断地含沙射影、明示暗示,巴不得我"闻高弦而知雅意",自己做个了断——我的迟钝大概很让他头疼,到最后还要费他一番口舌摊牌。

其实迟钝也不过是不肯相信。

⓰

离婚后,粟粟问:"你还想他么?"

"是想起,不是想念。"我毫不犹豫地回答。

她理解地点头,"哦,是 think 不是 miss。"

你问我爱你有多深?

这个问题,要到分手之后才有答案。

分手之后,才知道其实没多深。

很久之后才想清楚,被那样的父亲统治了三十几年,猪是多么希望创建一个由自己主宰的世界——安全的、可控的。当初猪娶我也不过是认为我年幼无知,是盏省油的灯,不料他用力做出了一家之主的样子,却还是做不了我的主。父子关系割舍不断,夫妻可原本是不相干的两个人。取而代之的意思恐怕早就有了,他等的也不过是个合适的时机。

当初突然动笔写婚姻，似乎冥冥中有种力量支配着，一开头就已经说过"如果分手，就当这些文字是婚姻的墓志铭；如果不分，就当它是里程碑"，后来又梦到离婚——人骗不了自己的潜意识，一切如常中，我似乎已经嗅出了不妥的气息。至于撒谎，似乎也谈不上，只是单拣婚姻中比较有趣的东西回忆，或者给黯淡的事实涂上金粉使之美观，现在想来竟然颇有回光返照之感——打定主意要给自己的七年留下些值得纪念的东西。

另一个原因我并不愿承认，但似乎不可抹杀。

我翻跟头打把式地上台卖弄，像个小丑，不过是为了吸引猪的注意——他的心不在焉让我惶恐，于是下死力要施展本领，招揽观众，让他看看身边的人何等价值连城。

离婚后朋友们很诧异，说我似乎变了个人，安静了很多。

我很诧异，因为自己并不觉得。后来细想，大概是再不用出尽百宝讨人欢心之故。

从前走上一站地也要搜肠刮肚地想出许多话，平淡的日子过上几天就要想些"花活"出来调剂一番——因为心里虚浮，并不踏实的缘故。

平淡是真。我们不平淡，不平淡里有做作的成分。

真正的恩爱是不必演的。

还有一个原因或者是：我需要给这段婚姻找到维持下去的理由。

人总要苦中作乐。快乐像金子般稀少，才要捡起来收藏；如果它像砂子一样多，又有谁会在意？

其实在这之前我不止一次地想到过离婚，第一反应是无法向父母交代。有时偷偷地想：如果他死了，比如交通意外，剩下的事该多么顺理成章。我被自己吓了一跳，突然明白杀人者并不一定凶恶刻毒，也许只是贪婪怯懦，不想把责任背在自己肩上。

朋友肖风说，"为了种种目的，人会很容易忘掉自己的第一感觉。我们太容易欺骗自己了。"

我想起对猪的第一感觉——没感觉。

如果说欺骗，我首先欺骗了自己。

况且，过了那么久，多少也会有些真感情。

年轻的时候两个人都觉得自己天下第一精明，于是办出了最傻的事：为恋爱而恋爱，为结婚而结婚。

心有自己的方向，理智却有另一个——我们习惯把自己五马分尸，所谓痛苦，大半源于分裂。

在我离婚之前，很久不曾联络的"佛手"也传出了婚变的消息。她选择的爱人之所以愿意娶她，不过是希望能尽快结婚以便搞到单位的最后一批福利分房，以及要个儿子；第一个目的已经达到，第二个目的却因为女儿的降生而失利，"佛手"失去了所有的利用价值。

当初我们要的不过是婚姻，得到了，似乎就不该奢望爱情。

从一开始，我们就都辜负了自己的心。

分手不过是迷途知返。

总算可以一步一步地朝着心路的方向摸索，趁着还有力气，还有时光。

惜 败

挫败也值得珍惜,它让生命由苛刻走向慈悲。

当初是我自己跳到台上展示婚姻的,众目睽睽地演到中场,却突然发觉演不到自己理想的结局;犹如魔术师踌躇满志地打开柜门,却无论如何变不出活人来,登时急出一身汗,张口结舌,不知如何下台,只能装作若无其事。

于是,在众人面前,我显得特别坚强,坚强得离了谱。

❶

"简直看不出你遭遇了什么变故。"粟粟仔细地研究我的脸。

"我也哭呀。"我说。

"伤逝?"

"不。"

"怨恨?"

不不不。

他不过是先我一步找到了更好的;换成是我,也未必比他高贵多情坚贞不二。如同夏娃看见树上的苹果，又美又香，换作谁也忍不住要伸手。

"那是为什么？"

"深感挫败。"

当然挫败。

结婚七周年的纪念日刚过，他外遇，三周后提出离婚，提出离婚后一周办手续，办完手续后一周分道扬镳——短、平、快。况且猪那样一个视财如命的人，宁愿放弃一半家产也要追求自由，可见不是离婚，是逃命。

人习惯在他人眼中找到自己的位置和价值。

原来我一钱不值。

"离开你是他的损失。"

"忘记伤痛努力将来。"

"自强自立自尊自爱。"

……

道理都是好道理，铿锵正义；然而就像墓志铭，庄严却毫无用处。

"离开我你可怎么办？"我曾经扬扬得意地对猪说。

离开谁都没问题，生活继续，地球仍然旋转。

我们都知道自己渺小而无足轻重。但知道是一回事，由别人证明给你看是另外一回事。

从自我肯定的瞬间走向自我否定，我像个瓷人儿，忽地从高台上摔下来，裂成了无数细小的碎片。曾经以为存在的意义就是被需要，如今既然失去了意义，似乎也就不必存在。

要把自己从这个世界抹煞似乎也不是什么难事，甚至有专业书籍专教这类方法。我没下手，并不是出于害怕，只是觉得死亡并不是生命的答案。

"我不得不存在，像一颗尘埃。"

生命就是如此荒诞和可怜么？

❷

有天早上，水晶来到办公室，"刚才我花了九块钱，把婚离了。"她轻描淡写。就是那种轻描淡写给了我很深的震动。

与我不同，水晶是裁判，判定身边人是去是留，是废是宝。

我以为水晶会不同。

可是——"很挫败。"水晶说。

"以为自己聪明，就连一见钟情也比别人聪明。可婚后他像变了个人——我还是我呀，不明白为什么他从前珍若拱璧现在却视如敝履。不是不努力，结果还是错错错。"水晶叹息。

水晶离婚大费了一番周章，前夫找上门来两人对骂对打，让人不免怀疑自己的人格大概也有缺陷：当初怎么会和这样一个人结婚？

尘埃落定之前，木夏也曾经做出过抉择，喜新厌旧。

"我像吃了棉花一样胃酸胃胀不消化，每天失眠，宁愿换作自己被甩，起码不必背负良心的包袱；如今想起前男友就从心里说上一万句对不起，比念南无阿弥陀佛还虔诚。只求赶快超度了他。"

离婚前后，猪憔悴而纠结，脸色青灰，神色萎靡，并不见红光满面喜气洋洋的迹象，可见也经过一番挣扎。

他也不是大赢家——谁的七年不是七年？

情侣就像连体人，假如其中一个决心了断另一个却懵懂无知，手起刀落的时候，无知的那个当然感到错愕与剧痛，但举刀的那个也要经历长久的游移与恐惧，而疼痛并不会因为事先知情就变得稍稍轻微一些。

谁都是血迹斑斑，谁心口上都带着比碗还大的疤。

因为了解，所以恨不起来。

❸

大概任何一个荒诞的故事都有一个荒诞的开头。

开头是我的手机上经常收到莫名其妙的短信，很多情，来自一个陌生的号码。

我的毛病是无情，时常清理通讯簿删除联系人。如果收到温情脉脉又不署名的短信，我就回复同样亲密热情的短信，好像认出了对方是谁一样。

但那个号码居然打电话过来，一个稚嫩的女孩子时断时续的声音："我在海边，水退得好远，一个人也没有，你听你听，好大的风！"

她大概是把手机朝向海的方向，听筒里传来嘶啦嘶啦的声音，空旷而嘈杂，并不美，但我忽然被感动了——在北京浮着尘土的夏季的夜晚，我一个人的家里，虽然我还是不记得她。

"号码"提议见面，我说好。我喜欢意外，生活太平淡。

博物馆外面的台阶高而宽，像巨大的浅灰色横条空白信纸；一个女孩蜷腿坐在上面，头埋在臂弯里，卷曲浓密的黑头发朝前面倒下来，盖住脸，整个人像是写出了格的墨水字——一个我不认识的生字。

"嗨"我说。

她猛抬头，我立即被她的眼神烫了一下。那眼神像深黑的夜色里啪的一声刚刚亮起的灯，朦胧而锐利，只属于热恋中人。我借着这光亮瞬间理清了头脑中所有飘忽零乱的思绪——我没见过她,却认出了她。

"嗨,我是 C。"她说。

C,猪香港机票上的名字。

我笑起来,情节太戏剧,想不笑都做不到。

当初也不是不好奇,但没好奇到要请这位小姐出来见面的程度。

我以为按照猪的品位,会找到一个肤色苍白、四肢柔软,因为带着受虐气质而显得性感的女孩子。

然而不是。

C 小圆脸,一侧比另一侧稍宽,微微扭过脸微笑时想必有几分动人,因为肤色深的关系,五官稍显模糊,只觉得眼睛很亮。半长卷发,腿很长,穿窄脚牛仔裤,T 恤波鞋。

"喂,怎么没穿粉红旗袍?"——我很想打趣几句,但毕竟没说出口,太无厘头怕吓到小女孩,让人家以为这个阿姨被打击得精神失常了。

从前在博客里放言要做个泼妇,敢于掌掴第三者;如今第三者找上门来,我却食言——心里没有一点儿愤怒的火星,该如何爆发?

我们一起进到博物馆里看高迪的作品展。

巨大的展厅又黑又凉,音乐好像在很远的地方响着;关节似的门把手,藤蔓植物似的烛台,扭着身子的人似的椅子,骨骼似的门,一样一样孤零零地出现在淡黄的灯束里,似乎随时会和灯光一起消失;巨大的银链子像被系成弧形的帷幕一样倒垂下来,反映在地面上黑色的镜子里,像夜空里悬浮着的两座头对头的城堡。

走在这样的空间,好像是梦游,身边 C 的话像是呓语:"学校放假时我也会去打工哦,比如在车展上……我学设计,最近要去美国……你的鞋子很好看"……

多数时候我很沉默，脑子是空的，实在不知道说什么；有时候会顺着她的话心不在焉地接几句："那多好""你年轻啊，年轻多好"。

既然彼此都已经满足了好奇心，接下来就该说再见。然而——
"姐姐带我去吃饭好不好？"
"姐姐带我去买衣服好不好？好久没买衣服了哦。"
姐姐姐姐……
语气嫩而糯，像是未发育完全的小女孩。这大概是猪要的"依附性"吧？
我无福消受，落荒而逃。

"为什么不和她坐下来聊聊？"粟粟问。
"聊什么？"我说。
"前因后果呀，她和猪呀。"
"不用问也能猜出一二。"
"起码可以问问她为什么要找你。向你炫耀？"
"还用问，仰慕我呗。"我哈哈大笑。
粟粟戳我，"三八！"
我揉脑袋，"来吃点心。"
"好吃。哪儿来的？"粟粟边吃边问。
"C送的。"
粟粟哇一声，"你没心理障碍？"
"我最喜欢吃奶油拿破仑。"我大嚼，"城门失火，何必殃及池鱼。"
"不会下了耗子药吧？"
"不会，她仰慕我。"

我把点心吃得干干净净——要是妹妹只管送点心，那么有个妹妹还不错。

但C的短信绵绵不绝地涌来，而且更加直白。比如"我退出你们能复合么"，再比如"他竟然还让我管他叫猪"，又比如"我很有负疚感怎么办"。

我一再保证和猪是一刀两断，绝非藕断丝连。

我披肝沥胆地声明她无须对我们的婚姻死亡负责。

我请她自己处理感情问题，承认我并非专家。

到最后我自己也糊涂了：前妻有照顾前夫新女友情绪的义务么？

"姐姐他出差了，你来陪我住好不好？"

"姐姐我给你做饭吃好不好？"

"姐姐我给你带了礼物我们见面好不好？"

"姐姐一起出去玩好不好？"

……

我很想告诉她，得到一个男人的心已经足够，你不必再得到他前妻的心。

我不讨厌她，但当朋友就大可不必。我的美丽新世界里没有前夫以及前夫现女友的位置，人太多会拥挤。

我知道她还是不放心。

她的短信我不再回复。

然而短信的内容却愈发耸人听闻，其中之一是说本人贫病交加临死时怕不能见我一面深感遗憾。看号码，是猪；看语气，以为他返老还童成"八零"后了。

问猪，猪叹气。当然不是他干的。

和猪一起去办过户手续，短信又追过来，建议我们既然见面不妨重温旧情。我请猪关照他的女友——有事请找自家男人说话，打扰到别人就不可爱了哟。

"你不要和她计较。她不是坏人，只是这儿。"猪伸手指指头，"有点儿问题。"

我轰然大笑。

猪恼羞成怒地质问："有那么好笑么？"

"不是想嘲笑你，"我说，"只是必须得佩服命运的幽默感。"

"她总担心咱俩复合。"猪叹口气。

"告诉她零概率。"

"说过了。"

"多说几次。"

"说了无数次。"

"我差点忘了你的表达能力有问题。"我揶揄。

短信渐渐稀疏起来，有时会发句没头没脑的怨言，比如："你这个女人简直不要脸，凭什么瞧不起人？"

做人一定要有幽默感，否则简直做不下去。

"今后都不敢生女儿，"我对着肖风感叹，"想到她长大后可能会为一个离婚男人而失态出丑，气都气死了。"

"她也很挣扎吧，认为伟大的爱情上有个污点，想努力地擦拭干净你又不给人家机会。"肖风说。

"她大概是真爱他，否则也不会这样焦躁不安，情绪失控。"

我很挫败，猪很挫败，本以为至少 C 是兴高采烈的，没想到她却忙着煎熬自己，左手拿着煎锅对过去耿耿于怀，右手举着铲子对未来患得患失。

太年轻。

年轻的时候，总以为整个世界都随着自己的心愿滴溜溜地转动：想要的一定会得到，得到的一定会完整——不完整的成功已经算是失败；没想到自己既改变不了部分的过去，也征服不了所有的现在。

她以为找到了世界上最香甜的巧克力，忙不迭地放进嘴里，却是掺了沙子的口香糖。

无论由谁摊牌，败局总是败局。

感情的游戏里，没有完胜赢家，谁也别想放声大笑。

"要是人类不为男女这点儿破事纠缠，现在恐怕早已统治银河系了。"肖风感叹。

"不能在男女的情感中玩味悲喜，统治银河系又有什么意思？满世界都是牛顿多乏味。"我反驳。

她笑："还真是。"

不为无益之事，怎度有涯之生。

❹

不久之后，这场感情变故中的当事人之间不再互通消息，记忆像老照片一样逐渐褪色，大家要忙着做当下的戏，细细端详揣摩着自己现时的表情与心境。

每个成年人都是劫后余生。屡战屡败，屡败屡战，中了枪挨了刀还能兴兴头头地生活着，因为我们善于遗忘。

我的一个男性朋友，夜夜抱着前女友的相片在哭泣中入睡。

过两个月问他："还抱相片么？"

他悻然，"不抱了。"

"为什么？"

"被相框划破了脸。"

不久他已经有了新女友，再过不久又换了女友。一样的看电影、逛街、聊天、吵架、睡觉，从前的一切像从未发生过。

另一个女友，爱上了好友的丈夫。与丈夫离异后的妻子因车祸去世，丈夫与前妻的女友仍然结了婚，仍然有说有笑，这故事听上去像个绕口令，如今的他们看上去也就是白璧无瑕的一对恩爱夫妻。

遗忘是油漆，粉刷了过去，让我们重新站在空白前欣然提笔——总相信这一次是更好的画面。

有一阵子我天天去按摩。被按到后背上的某一点时，一阵疼痛闪电般地穿过整个身体直达前胸，整个人像被一柄利剑捅了个窟窿。

"你有情绪，一种很深的情绪。"按摩师说，好像在说一个有血有肉的实物，看得见，摸得着。"变故、刺激、伤害都会在身体里种下情绪，"他接着说，"虽然你以为已经把它彻底忘了，但它其实还在。"

我惊骇。我说对，在我内心埋着很大的一个挫败。

"每个人都有吗？"我问。

"有人多些，有人少些，有人轻些，有人重些，"他点头，"但几乎每个人都有，心理医生的最多。"

多奇妙！我们以为已经遗忘，但身体有自己的记忆，不由理智控制。

就像我们把坛子埋进地里，以为没人会知道，但土地有自己的记忆。

看上去笑嘻嘻的人们，心里未必不千疮百孔。

粟粟问："为什么我们老是受挫受伤？"

"都是课程吧。不然我这辈子大概也学不会谦卑沉默宽容了。"我说。

"看书也可以学到，何必实践得鲜血淋漓。"

"看别人是一回事，轮到自己是另外一回事。顺利的时候忙着享受风光无限，摔疼了趴在地上才想到自省自悟。"

"也是。带来伤害的人总能教会我们更多东西。"

"遇到的每个人都是砂纸，为了把我们打磨得更闪闪发光。"

"可我不想闪闪发光行吗？"她笑。

"人就像一株植物吧？要么努力向上，以成长为主题；要么萎靡向下，以堕落为主题。"

"堕落这个词用得太严重。"

"拒绝成长就是堕落，不比打针更疼，也不比吃药更苦；只是放弃了活得更清醒的机会。"

"成长好辛苦，总是从折辱自己开始。"

"堕落就容易得多，可以永远把黑锅扣在别人头上。也可以说，堕落就是乐于保持自己的无知。"

我认识葡萄的时候她早已结束了四年的婚姻。

然而葡萄永远在讲自己和前夫的故事——对每个人，生人或者熟人，嘲笑前夫的有眼无珠，通过展示伤口解释自己现在的孤独。

葡萄并未如愿地找到下一个男人：英俊的、高大的、多金的、幽默的、优雅的、艺术气质的、事业有成的，她认为世界不公平。

葡萄从不否定自己，因为自己永远是对的、美的、可爱的，但在心里又深藏着自卑，所以姿态格外招摇，嗓门格外高亢。她目光灼灼地盯着身边的每个人，戒备而饥渴。葡萄习惯热烈地谄媚每个人，然后同样热烈地诋毁每个人。谄媚，因为太想换得一点爱；诋毁，因为通过谄媚换来的爱让她感到委屈。她嫉妒身边的任何人，她的同情和爱要全部留给自己。

她不知道每个人都看穿了她。

她不知道在别人眼里自己很可怜。

我怜惜地看着她，就像看着从前的自己：自私的，浮躁的，无知的，痛苦的，像玻璃迷宫里的一只虫，在看似广大其实微小的世界里乱撞，心里的火烧着自己，因为找不到出路，分外焦灼。

不能不成长，因为堕落意味着无休止的恨、恐惧和煎熬。

男女关系不是目的地，它只是一条船，送我们往前走上一程。

情感挫败也不过是堂课，如果学不会匍匐在地面上看世界，以较为卑微的方式了解自己、理解别人，那么所有的学费也就白缴了。

肖风的男友辜负了她，虽然她为他付出那么多。

"我不恨他。怎么会恨？我希望人人都过得好，何况是他。"肖风说。

"从前觉得人像条藤，总要依附什么才能存在；我们把自己依附的东西叫做意义。"她又说。

"讽刺的是我们常常以为自己才是支撑别人的栋梁，后来发觉世界没有谁都可以一样转动。"我说。

"人人都是为毁灭而存在的。"肖风笑。

"所谓意义，不过是我们自制的武器，用来抵御对卑微的恐惧，对死的恐惧。"我也笑。

"躯体不过是个坛子，生命的容器。生命没有目的。"

"生命的唯一乐趣不是得到，是体验。"

我们碰杯，为了这乐趣。

人人都是蓬草浮萍，身不由己，无知的，疲惫的，自己煎熬着自己，谁又恨得了谁呢？

因为受挫，所以渐渐懂得所有受挫的人。

因为受伤，所以渐渐懂得所有受伤的人。

因为体会到了自己的无奈，所以谅解了所有人的无奈。

因为认识到了自己的自私渺小，所以尊重了所有人的自私渺小。

因为曾经痛苦焦灼，所以怜惜所有人的痛苦焦灼。

同是天涯沦落人。

怎么会继续品头评足？

看一切挣扎的人，都像看从前的我。

看一切超脱的人，都像看将来的我。

人人是我，我是人人——自己总有一千个理由谅解自己，谅解是慈悲的开始。

生命是一场漫长的修行，最美的乐趣在于成长。

单身时代

第三章

任 逍 遥

丈夫走门，情人走窗。

没有情人的时期因此叫做空窗期。

现在我既没情人也没丈夫，门和窗都空着，大概应该算提前步入空巢期。

我对门窗的概念，源于中学时的一次语文考试。卷子上有篇阅读题，讲的主要就是门与窗，丈夫与情人，制度与激情之间的关系。

这么精彩的试题空前绝后，所以我至今还记得自己曾对着它浮想联翩。

我没想到自己会经历门窗两空的时期，感觉上这情形太过凄凄惨惨戚戚了，与我张扬热闹的生活缺乏交集。

等到事情真的发生了，先问：为什么是我？

之后自答：为什么不能是我？

于是释然。

❶

要躲避寂寞，其实并不太难。

朋友们都很够朋友。

刚离婚那阵儿我天天有饭局，主题是畅谈分手的感想，控诉前夫的罪行。

没多久我就烦了。完全丧失了拍案而起的亢奋激情。

再说，天天做报告谁受得了哇，我又不是英模，一口气能讲一年——"请我吃饭 Happy 都欢迎，离婚的事儿就免谈了啊！没新意。"

于是饭局少了下来。

清醒是复原的开始，复原了当然不必再进行慰问。

我觉得自己很幸运。

当事人务必要赶在大家听烦之前说烦，不然天天拉住人家的衣角讲旧故事成何体统？

做人要识趣。

实在要说也可以去找职业听众，比如心理医生。失婚女子葡萄每周前去诉苦两小时，每小时盛惠人民币三百元。

每次治疗完毕，心理医生都问她同一个问题："你还恨他么？"

每次，她都提供同一个答案："恨！非常恨！"

我建议她找个小时工，让小时工一边擦地板抹碗柜一边听她说前夫如何忘恩负义，她又如何痛苦悲愤；物美价廉，每小时收费十元。

既然打定主意让自己恨下去，医生与小时工又有什么分别？

葡萄声称和我绝交。

她说我没有同情心。

我连我自己都不同情。

以前为争当焦点，我乐于夸夸其谈、哗众取宠，有时难免张冠李戴、言过其实。现在听自己一遍遍地重复自己的故事，只觉得空洞；心里一虚，声音就逐渐低了下去。

我沉默，因此觉得充实；我即将开口，同时觉得空虚。

展示自己的痛苦，和展示自己的幸福一样无聊。

开口闭口"我我我"，朋友听了难免适时地感慨一番；闲人听了只当是个笑话。

自己酿酒自己喝，自己挖坑自己跳；自种自收，自收自支，自己摔了跟头要认栽，不能指望旁人上来为我拍打地面："都怪它不平！"如同撮哄一岁的幼儿。

挣扎求生全靠自己，旁人纵然有心也是无力。多说无益。

或者，面对听众比较不寂寞。

但，寂寞与人数向来不成反比。

前夫曾摇着头说我狠，比男人还狠。

我不怕揭露、嘲笑自己，我有狠的资格。

❷

"出来玩，"肖风招呼我，"沉闷的婚姻埋没了多少大好的春光哇！"

肖风是夜行动物，作息时间晚九朝五。

于是我开始跟她跑夜场。

　　最后一次泡夜店还是大学刚毕业时的事儿，没想到如今旧事重做。不过大冬天的不去那儿简直不知道去哪儿，可见城市是越来越乏味了。

　　木夏问："人到中年重出江湖感受如何？"

　　我答："好比大龄女星复出。"

　　她笑翻。

　　我们穿的乌漆麻黑扮演黑寡妇；我们把蒙古口杯藏在怀里兑进啤酒让自己"骇"得更快；我们眯着眼睛晃晃荡荡地跳舞，有时被捧着比萨饼前来套磁的男人撞到。

　　我一手抓过饼大嚼，一手推开那人撅成肛门状往我脸上凑来的臭嘴。

　　给块饼就想占便宜，喂狗么？去他妈的。

　　我还没到饥不择食的地步。

　　另一个黄毛小子坐下来就一嘴九曲回肠的中文："窝石没国人，但石，窝有冲国名字。"说完就冲我们嘿嘿傻笑。

　　"我们已经是两个人。"肖风冷冷地说。

　　"哦，窝吃倒，但尼们可以一栖来，窝们三个人。"他搓手。

　　我们对视一眼。

　　"她是我爱人。"肖风揽住我的肩膀。

　　我隔着她毡子一样厚重蓬乱的头发吻她的脸。

　　"没关系，窝不接意。"

　　我瞪他一眼："我、介、意！"

　　他讪讪地坐了一会儿，从桌面上推过来一张名片："鸡摸的湿候来找窝。窝非常非常忙，但石，我没周三都会在这里。记住，没周三。"

　　我把名片塞进大衣兜里。

他点点头离开。

肖风喷口烟，"美国人又怎样？哪国的傻逼不是傻逼呀！"

桃花多且烂，于是我们只能常常扮演同性恋，到最后简直弄假成真。

❸

"没国人"的名片在我的大衣口袋里留了三天。

我常常在把手插进口袋的时候无意间攥住它，直到它变得潮湿褶皱。

我把它掏出来，放在桌子上。

我看了几遍名字和电话号码，但并没有拨。

我对那男人没兴趣，但名片是我的战利品，以证明自己作为雌性，尚有存在的价值。

我用"被追"的自豪感覆盖在"被甩"的挫败感之上粉饰太平。

粟粟是个不甘寂寞的女人。

找不到男朋友的时候常常往酒吧跑。

我们要好，所以她给我展示她的"夜行衣"，绫罗绸缎色彩斑斓地铺满一床。

"性感吧？"她把一件黑底、绣着彩色龙凤图案的超短绸旗袍斜披在身上比划，"一进苏丝黄，无数男人问我要不要跟他走。"

"你有没有跟他们走？"

"我疯了？我当然摇头。"

"那干吗下血本衣锦夜行？"

"能被人追着看也好。"

当时我尚未离婚，一脸俨然地教导她不要幼稚，年纪不小了要严肃生活，尽早"从良"。

现在我回想起当时的优越感深觉自己欠抽。

这么美丽多情的女子竟然没男友——粟粟死也不服，所以要努力反证。

人通过别人肯定自己。

女人通过男人肯定自己。

连幼儿园的小女孩都会用麾下男孩的数目分出此优彼劣。

对于女人来说，男人猎艳的目光就是一种恭维；而对于情感无着的女人来说，男人的殷勤比自强不息的大道理更能激发斗志。

我原以为我进化好了。

我原以为自己有资格揪住别人露出的尾巴讲经论道。

蓦然回首，却发觉自己的裙下也招摇着毛茸茸的尾巴——这点儿动物本能无论如何也进化不掉，多么尴尬无奈的自然现象！

没有人比别人优越，只是有些人会比较幸运。

没有人比别人完美，只是有些人碰巧躲过了考验。

现在，我和粟粟一样：享受殷勤吹捧，其他一律免谈——纯属良家妇女的拘谨型放纵，非常安全卫生。

葡萄则真枪实弹地干。

结婚四年，老公扔下全副家当不告而别，葡萄伤心之余暧昧上了一个有妇之夫。

那人我见过：脸色灰黄，眼神混浊龌龊，距离远远的便能闻到他衣服上有股馊味，那是没从洗衣机里及时取出晾晒的后果。

他们的幽会场所我也见过：堆满了垃圾杂物，软腻潮湿的床单，屋子里弥漫着与那个男人身上一样浓重的馊味儿。

葡萄说他们一起度过的夜晚让人陶醉，说完戒备而期待地在我脸上寻找蛛丝马迹，看我相信几分。

我想说即便寂寞也无须这样糟蹋自己。

我想说即便要糟蹋自己也请找个体面的人、选张体面的床。

但我什么都没说。

成年人有权选择自己的生活，况且，在批评别人不够好之前，要自问能否给他更好的。

有一阵子，我妈每天都逼问我离婚的深层次原因。

终于有一天，我不胜其烦，决定用震撼性的回答终结她的提问。

"结婚七年，我们五年没有性生活。"

我妈大惊，"为什么？"

"突然之间再也不能接受和他做爱。"

"为什么？"

"当时自己也不知道，现在明白是不再相爱。"

"干吗不早离？"

"你说过性不是生活的全部嘛！我就信啦。况且当时并不知道原来这就是不相爱了。"

不相爱怎么做爱？

这跟保守或开放、贞洁或放荡无关，纯属个人感觉。

我不认为失意时抱着个莫名其妙的裸男打滚儿就能让自己忘了过去，让一切好好继续。

如果一切都能用性解决，世界该多单纯哪！

或许我患有精神洁癖，或许我是个偏执狂；但我总不能欺骗自己。

对，我现在完全自由，毫无约束，且无须为任何人负责。

但我总不能为放纵而放纵，为上床而上床吧？那样的话床上岂不是人满为患？

❺

后来，葡萄也加入了我们的泡吧队伍。

葡萄看上去比谁都"骇"。

大家鼓掌的时候，她鼓得最响；大家跳舞的时候，她转得最快；大家尖叫的时候，她叫得最响。

她盯着我的脸，高喊"真好！"

这次是为了讨好我。

她再次高喊"真好！"——这次是为了说服自己。

我一脸颓废地站在墙角，高跟鞋硌得脚生疼。

葡萄表现得太卖力，戏过了反倒有点儿假。连娱乐也这么做作，是为了显示自己时髦豪放？仅仅是为了敷衍朋友？还是打定主意要高兴一下不管实际感觉如何？

自欺欺人若成了习惯，做人便难有真正的乐趣。

不能怪葡萄。

这间汗水横飞的酒吧里挤满了人，真正享受的没几位。

肖风算一个。

吉他一响，她立即进入梦游状态，半闭着眼睛四处转悠，全然不顾手里的啤酒洒人一身。

还有舞池中间的一位超级胖妹,穿件袒胸露背的火红大裙子,像吉普赛女郎一样狂跳着某种自创的舞蹈,介于伦巴与弗拉门戈之间,笑声震天,大号乳房上下翻飞,偶尔飞出一条重量级的玉腿即刻黑压压地扫倒一片,舍我其谁的架势犹如一只发情的性感母象。

她们忘情地自骇,奋不顾身,周围的群众等于不存在。

但多数人都很茫然。

像我一样茫然。

我们脸上的表情与其说是快活,不如说是无聊。大家并不是真想来这儿,只是除了来这儿之外不知道还能去哪儿。

既然人们说这是一个很"骇"的地方,大家就努力地表演"骇"。

既然想骇,一定能骇;万一不骇,可以装骇。

人的主观能动性是多么强大啊!

因此满酒吧里都是端着酒杯傻笑的人。

不笑的时候,人们半张着嘴发呆,眼神飘忽,等待一次心跳的机会。

有部恐怖小说,说一群人日日忙碌不已,夜夜寻欢作乐。突然有一天,有人宣布:实际上在多年之前,他们就已经死去。众人赶忙伸手自摸心脏,只摸到一个洞;骇然之下,纷纷倒地,化作白骨。

假如人人把手按在心脏的位置,这世界估计会横尸遍野。

就像说服自己进酒吧一样,我们说服自己按时上班下班结婚生子吃饭睡觉做爱刷牙,看上去忙忙碌碌嘻嘻哈哈,其实心脏都不跳一下。

浪费时间,就是说服自己一遍一遍地重复着早已丧失感觉的事儿。

都以为欺骗自己的感情最容易——没感觉么？没关系，我们最善于说服自己。

不骇强骇。

一群孤魂野鬼凑到一起，也还是孤魂野鬼。

曲终人散，唯有空虚实在。

我要的生活不在这里。

❻

"吸，吸进去，"肖风把烟卷塞到我嘴里，"别吐！"

空气里散发着奇异的香味儿，温热的白烟顺着气管流进肺，然后在胃里沉淀。

"什么感觉？"

"身体里暖洋洋的。"我看看手里的烟。

"再来点儿，它能让你飞。"

我极不熟练地嘬着烟卷，里面的叶子蓬松酥脆。

"哪儿弄的？"我问。

"自制的。现在感觉如何？"

我猛烈地咳嗽。

到最后我也没飞起来，我头晕脑胀，吐得一塌糊涂。

"看来你不适合大麻，下次给你带 LSD。"肖风给了我一杯水。

"啊，《毛发》里的牛仔在中央公园吃的那玩意儿！之后他出现幻觉，在教堂和自己仰慕的富家女结婚。"

"那段儿拍得还行，但还是农民式的想像，太土。"肖风不以为意。

"你呢？你什么感觉？"

她仰在沙发上，眼睛看着很远的地方，"颜色！铺天盖地的颜色！以我从来不曾想像的方式组合，就像巨大的孔雀尾巴，铺满了整个地面，然后犹如一面和缓的瀑布，朝着墙壁、天花板倒流上去。我躺在颜色的荧光的河流里，听见我的爱人在对岸唱歌。其实那是间黑咕隆咚的老酒吧，我的爱人在台上。在那之前，我喜欢用黑白色调画画；在那之后，我要我的画充满颜色。尤其是绿色和紫色，绿色的瀑布，紫色的瀑布。"

"是吗？我还以为吃下去只会摇头滥交。"

"切，"肖风不屑，"它们的作用是暴露人的潜意识。有什么样的潜意识，就有什么样的行为。无聊的人才摇头滥交。"

"也就是说，它们帮你卸掉伪装？"

"对，卸掉一切束缚，完全敞开自己，完全诚实，完全自由。"

我迟疑一下，"别给我带了。"

"为什么？"

"我怕我接受不了自己的本来面目。万一它太丑陋怎么办？今后我还不得心惊肉跳地过日子？"

"你不想看清你自己？趁现在一个人？"

"我已经看清了自己的懦弱，"想了很久之后我又说，"你比我勇敢得多。"

"会不会上瘾？"过一阵子我问肖风。

"赌博、酗酒、性交、打游戏，样样皆可上瘾，但并非人人都会上瘾；物无罪，只是有一部分人特别空虚软弱，喜欢上瘾，不上 A 瘾就上 B 瘾，总得给自己找借口逃避生活。比较冠冕堂皇的上瘾是工作，被尊称为工作狂。"肖风把烟头塞进可乐罐子里。

"其实你需要彻底放松一下，你总把自己收得太紧，"肖风说，"一辈子起码要尝试一次酒神精神。"

"我好像从来没彻底放松过，我怕高速，怕失控，我总把自己管理得太好，我太会说服自己；至今只喝醉过两次，结果每次都是醉时比醒时更清醒。我不是酒神型人才。"说着我笑，"你看根本用不着 LSD，现在我就已经认清自己不是潇洒人物了，以后再也不用装了。"

肖风捐我的脸，"你太乖。"

❼

后来我迅速习惯了一个人安静地生活。

速度之快把我自己都吓了一跳。

因为没了观众，所以不知不觉地脱掉了戏服不再演出，取舍动静全凭心而行。

我几乎立刻把曾经梦想的生活付诸实施。

只要有书有面包，我可以连续几天不出家门。"何妨一下楼"说的简直就是我本人。

影碟机二十四小时流水地放着电影。我困了睡，饿了吃，冬天速冻饺子、方便面，夏天蔬菜、沙拉，百吃不厌。

新买的音响被我用得团团转，三更半夜蔡琴、梅艳芳、辛晓琪、许美静轮番哀怨，黎明时分柴可夫斯基震撼登场；下午小野丽莎，黄昏吉他，月夜长笛；有时边听边读书，有时就是干听，坐在木地板上，关上灯，月光静静地照进来，茉莉花香悠悠地飘。

颜回因为居陋巷箪食瓢饮"人也不堪其忧回也不改其乐"就受表扬，我看这标准太容易达到，没什么挑战性。我的房子大概比他的地段好些，除了多出来看 DVD 和听 CD 两项消遣，其他的都和他差不多。

一开春儿我就发花痴，一买好几十盆，非得雇一黑"面的"才能拉回来。往屋里屋外一摆立即春意盎然——但短暂，花在我的手下都疏于管理，自然淘汰。我的爱好是拿着相机拍它们，刹那芳华，分外动人。

猪在的时候不是这样。

他做股票黄金外汇，说买书（输）干什么不如买赢。

他不听音乐，不做家务，不看文艺片，最大的爱好是赚钱、下馆子、打游戏、看《老友记》、登陆成人网站。

他嘲笑我，我鄙夷他。

两人轻则分房而居，重则火并——谁都想说了算，谁说了都不算，着实让人窝火。

葡萄说我没心没肺。

我不懂。

有心有肺是否就意味着：结婚之后懊恼着已经结束了的单身生活，而单身之后又眷恋着曾经有过的安全婚姻？

结婚后享受交锋，离婚时享受荒诞，单身时享受自由——难怪我把婚姻和离婚都写得那么有趣，原来是因为没心没肺。

天儿好的时候我喜欢四处溜达：躺在八一湖边看柳浪，趴北海栏杆上闻荷香，午后爬上景山看故宫那片辉煌的金色屋顶，然后坐在筒子河边带着耳机听音乐——一直等到角楼亮灯。

最爱在春夜打车兜到二环的主路上，就为看一眼灯影里的雍和宫——四周一片漆黑，只有它辉煌地高高地浮在空中。墙的朱红与夜空的湛蓝具有相同的浓度，呈现出湿漉漉的质感；夜色如水，整座宫殿就像水里神秘的倒影，被雪白的浪托着——那是宫墙下怒放的梨花；屋顶的琉璃瓦与房山上的贴金闪着粼粼的光，犹如月光下泛起的波纹。每次经过那里我都激动得不能自已，双手扒在车窗上玩儿命地看，心想老北京要是没被破坏多牛逼呀，亭台楼阁哪儿哪儿全像仙境似的，决不会像现在这么粗糙荒凉，城里的人也不会像现在似的缺乏审美与诗意。

有时候我自己溜达自己震撼，有时候和朋友一起。

比如和肖风一起在冬夜跑到天安门，看头上的乌鸦沉默地从夜空与柏树的树顶之间滑过，黑的、蓝的、绿的，每种颜色都那么浓重，像染坊里等待浸染布匹的颜料。长安街的红墙与柏树墙之间形成一道走廊，橘黄的灯光把长长窄窄的空间照得一段明一段暗，人走在里面，就是在明与暗之间穿梭，我们把它叫做"时空隧道"。"隧道"里安着长凳，长凳上总有人坐着；也不知道为什么，人坐在这里立即变得富于戏剧性，被灯光在黑暗中勾勒出身体的轮廓。他们通常都很沉默，像封锁着无数秘密，我们走过的时候总要仔细地看上他们几眼，像在欣赏一尊尊雕塑。

我们喜欢结伴去南池子淘碟。路边有家工艺品店，里面的剪纸竟然能表现出夕阳下的光感。我们赞叹不已，但并不买下。

"你瞧，这不比剪纸生动？"肖风向上指着树。

冬天，黑的树枝被路灯镶上橘色的亮边，衬着低低的蓝天，像深海里的珊瑚。

我们手拉着手站在树下，仰着头，幸福而激动。

清风朗月不用一钱买，玉山自倒非人推！

城市还是这座城市，我还是我。

但生活却变得充满闲情和美。

我像是一下子脱掉了紧身衣，真正领会了中学语文课本上鲁迅的话：身心突然舒展到说不出的大。

原来，真正的快乐就是有涟漪从心头涌起，然后一波一波地荡漾着，传遍全身。

从前很少这样打发时光。

从前没有这样发自内心的快乐。

因为猪说这样叫"有病"。

当年跑去看个毕加索的版画展都要遭他揶揄。

身边伴侣的冷漠，让我的欢愉重重地打了折扣。

他说我华而不实。

还要怎么实呢？我一没挨冻、二没受饿、三没幻想自己是白雪公主，一贯老老实实地上班赚着铜板，再实就该成铅球啦！

况且，除了张开嘴吃饭脱下裤子睡觉之外，人是否还该有些别的乐趣——属于另外一个世界，与金钱、职位、户籍、工作全无关系？比如，与生俱来的对美的敏感与追求、风一般飘忽的幻想、与每一只鸟、每一棵树的感应。

感谢这自由自在的生活，我突然开了窍。

一个人有权支配自己的所有时间，完全不必与任何人相互迁就妥协，是多么幸福的一件事！

我发觉自己并不喜欢热闹，我发觉自己的物欲并不太强烈，我发觉自己并不太喜欢说话，我发觉自己并不热衷于升职或者成名，我发觉自己一进办公室就头疼，我发觉自己喜欢待在屋子外面看水看树看花看鸟，我发觉我喜欢一个人待着，我发觉和自由与美相比很多东西并没有那么重要。

因为没有观众，我不必再卖力地扮演一个繁忙的、广受欢迎的、必不可少的人，我不必时时处处显示我的价值，以便让对方认为跟我结婚并没有吃亏。

一个人的时候，我全身充满着生命的喜悦。
原来我既不是少林派也不是武当派，我是逍遥派。
随风飘飘天地任逍遥的逍遥派！
人世间，逍遥游。
行到水尽，坐看云起。
随心所欲，不枉此生。

我的一位朋友说：女人最好要经历一段空巢期，不必伪装，不必迁就，你才有机会认清自己究竟是谁；要什么，不要什么。

不是我们有意不真诚，实在是因为我们太习惯做戏，做到不知道自己在做。
孤独的时候，人比较容易回归本来面目。

从前，我在做自己。
现在，我在找自己。

像走过一段又一段弯路，推开一扇又一扇门，终于走到一面镜子前。我轻轻地拂去上面的灰尘，对里面的自己说："哦，原来你是这个样子啊！跟我原来以为的并不太一样,但我会试着接受你。"

镜子里的影像并不十分清晰,因为认识自己是一辈子的功课。

李小龙说:人永远不可能成为某个人,他只能成为自己。

人之所以常觉得痛苦,是因为他总是妄想成为别人,拥有别人的名望、财富、伴侣、家庭、才华,乃至爱好、习惯、腔调、相貌、身材。

终于扔掉了"别人"的东西,我一身轻松。

❽

水晶说:"我不想再婚。"

我惊问为什么。

"有房有车有钱有狗有猫还有人追,我很享受单身生活。"水晶答。

那时我不懂,现在严重同意。

最幸运的空巢期最好是在三十岁左右到来,那时基本已经可以做到家资小有、心神安定,回头看已经摆脱了青涩无知的少女阶段,向前看距离衰老又还有一段安全距离;走向成熟又没熟过头,对人生已有体悟但尚存大量悬念。我行我素地享受生活正当其时:客观上有能力、有精力,主观上有意愿、有把握。

享受自由最好也要有实力,不然难免吃苦——谁说我华而不实来着?

张爱玲说生命是一袭华丽的袍,上面爬满虱子。

没有一件袍子会例外。

单人生活当然也充满了各种细碎的烦恼；不会比双人生活更多，也不会比双人生活更少。

对于水晶来说，烦恼在于意外怀孕；对肖风来说，烦恼在于一个贝司手爱上了她，贝司手的女朋友却说"我反对"；对于我来说，烦恼在于失踪了的水费单，因为忘带门卡而打不开的大门，欠费的电话，以及突然流不出热水的热水器。

某天，木夏在帮我整理床铺的时候突然从枕头底下抖落出尖刀一把，噔嘟嘟一声掉在地上，与她的脚尖只有寸许之遥。

"这是干什么？"她惊呼。

"防身呀！"我摸着脑袋。

这大概也算是单身生活的烦恼之一。

得到一些也必定失去一些。

所谓不虚度光阴，不过是拂开烦恼的蛛丝之后，能够欣然享受生命的乐趣。

从秦香莲到潘金莲

恢复单身生活之后，身边突然冒出三类男人。

　　第一类，突然被拦腰斩断，只剩下半身。比如，A男问我："一个人住？"我面无表情地答："房子小，人多会挤。"他马上说："我很瘦的。"此人与我仅有一面之交，平时只有工作之间的寥寥数语。我直截了当地对他说"NO"。

　　第二类，突然挥刀自宫，只剩上半身。比如，B男，平日里一直与我们一群人嬉笑怒骂，大家以兄弟姐妹相待。某天MSN上遭遇，我一如既往地开玩笑，此人却突然间不苟言笑起来，称自己在外地出差，我随口说一句："那我们北上寻亲去。"此男沉吟数秒，MSN窗口上突然蹦出一句："我的亲可在英国呢！"（注：此人女友虽然身在英国，魂却常存该男子口中）我犹如被别人猛然在嘴里塞了个窝头，半天没喘上气来。重新喘上气来后做的第一件事，就是以最快的速度在MSN列表里找到此人，按下Delete，然后强忍着想吐的感觉，迅速冲到厕所一遍又一遍地洗手。

　　第三类，上下身都突然消失，丢弃皮囊，变成圣人了。比如，C男，即便一次很平常的朋友聚会，也总悲天悯人地加一句："叫上介末吧，她一个人也挺不容易的。"我没有被前两类男人打败，却彻底被此类男人弄疯了，一时间搞不清自己到底应该如何是好。去吧，说明确实挺不容易的；不去吧，似乎过得更不容易；去了之后说"我没什么不容易的你饶了我吧"，显得非常此地无银；去了之后什么都不说吧，似乎印证了"不容易"；见面之后指着此男鼻子大骂："你没车没房没身高没女朋友没性生活你才不容易呢"，倒是过瘾，但绝对会被朋友们以同情的眼神抚慰，互相点头交换眼神之后换上一脸宽容的笑容，那意思是："原谅她吧你看她被打击得快变态了。"于是只能在心里默默地许愿：此人有一天沦落街头被我撞见，我肯定也要做出悲天悯人的样子，递给他一个馒头，"饿了就过来吧，你一个人也挺不容易的。"

男人的态度变化，因为女人的身份变化，就像蜥蜴变化色彩，是因为它们遇到不同的树枝，把那点儿潜意识淋漓尽致地都发挥出来了。

第一类男人把我当潘金莲，第三类男人把我当秦香莲，第二类男人不仅把我当潘金莲，还硬要把自己抬举成柳下惠，可我不明白的是——如果他心里不是憋着要当西门庆，又何必把每个单身女人都当成潘金莲，然后摆出武松的面孔，摆出随时准备为民除害的架势？

我自问没长着秦香莲惹人怜悯的悲剧脸，没生就潘金莲手到擒来的手段。在把自己当女人之前，我总固执地先把自己当个人；在散发所谓的女人味儿之前，总是先固执地散发人味儿——就这也还枉担了虚名，可见在男人认为属于自己的世界里，当个单身女人的确挺不容易。一念至此，突然原谅了C男，那个说"介末一个人也挺不容易"的男人，话说得虽然难听，但竟然不幸是事实。

晴雯临死时说：早知今日妄担了虚名，当日我就另做打算了。

我是个很一根筋的人，至今没学会另做打算，就算磕磕绊绊，就算头破血流，也怀抱着自己的骄傲，不改初衷，无怨无悔。

行者无罪，怀璧其罪。

如果生活因此必须孤独而艰难，那么，就让该来的都来吧。

还有一个男人，姑且叫D，也是一面之缘，某天深夜突然在MSN上说："来看你的博客，真好，就有些爱上你了。"我以为此人在开玩笑，还跟人家贫，"哈哈哈，暗恋我也不要说，人家很低调的。"之后闲聊了几句，我说想和另外几个朋友一起参观D的工作室，D说："分头来。"我说："一起来。"D："还是分头好。"我："不，还是背头比较帅。"D男突然失落起来："看来都对我没企图。"

我突然间觉得有些惊骇，有些难受。

与前面三类男人相比，D是个不错的男人，懂艺术，懂感情，有才华，小有成就，已婚，我们一直以为他们伉俪情深——现在，谁能告诉我，世界上有哪一段看起来很美的感情不是千疮百孔？

女友葡萄说，如果一定要选个男人，那么宁可选D，起码他有那么一点点懂你，有那么一点点欣赏你。我很坚决地说"不"，从小我就不喜欢从别人手里抢东西，更不认为爱情这东西可以分享，抛开爱情不提——如果一段双人舞从一开始就注定终结于床，那么，我——敬、谢、不、敏！

因为容不下任何见不得阳光的东西，所以一点点阴影也会让我寒冷。

没错，我有精神洁癖，不可救药。

他们问我，你到底想找个什么样的男人。我说，很简单，儿女情长之上，更需一颗赤子之心。

人尽可夫

举世公认：一个离婚女人的首要任务是在衰老之前尽快找到下一任丈夫，好比食品要在保质期到来之前以倒计时的速度促销完毕，不求卖得贵，但求卖得出。

我的情况很难办。我是二手货。

不明白二手男人为什么就那么受欢迎，经常还在"准二手"的状态中就被下家儿盯上了，小姑娘们尤其追捧："好成熟，好性感，好沧桑哟！"

我也很沧桑呀，凭什么我沧桑就不被市场追捧呢？

这充分证明男人没有女人心眼儿好。

❶

"男人是酒，越陈越香；女人是水果，越鲜越可口。"木夏回答。

"我是果酒不成么？"我嬉皮笑脸。

木夏比我年长，自称比我成熟，自打我离婚后特别关心我，不仅催我自省，还催我找男人，我几乎纳头便拜，管她叫"妈"。

"别臭美了，再不出货就变果醋了。"她警告我。

"还果导呢，"我嗤一声，"形势有这么急迫么？"

"比你想的更急迫。你很久不到江湖走动，不了解行情。"

"我这样的大概什么行情？"

"弄不好得当后妈。"

"弄的好呢？"

"给富裕人家儿做填房。"

"我还以为可以从容地寻找真爱。"

"再挑挑拣拣连以上两种机会都捞不着。"

"才转了一道手就贬值这么厉害？我保养得好，起码还八成新呢。"

"全新的都降价促销呢。现在是买方市场。"

"太惨了！要不我再囤一段，等市场回暖？"

那边木夏大喝一声，"贫什么贫？再贫黄花菜都凉了！你到底去不去？"

我立即躬身："去去去，一定去。"

不就是相亲么？有吃有喝的，不去白不去。

反正我也没打算给猪守节。

❷

不知怎么就正好赶上了一场罕见的大雾。

木夏在云山雾罩中反复叮嘱我，"淑女点儿啊，成熟点儿啊，别瞎贫，免得人家觉得你太'二'儿，人家可是正经人。"

"我看上去不正经么？"

木夏上下打量了我一回，"嗯，捯饬得还行，有几分知性美女的感觉，挺唬人。"

车在云雾里摸索着前行，活像雾海孤帆，荡漾了半日，停泊在荒郊野外。

我疑疑惑惑地下车，"这哪儿呀？你不是要把我卖给一山村老光棍吧？

开价不能少于五千啊！不然太伤自尊了。"

正说着听见雾里一片稀疏的掌声，几个人影排成燕翅型，款步鼓掌前来。

我愕然，回头看木夏。

她用肩膀轻撞了我一下，面有得色，"欢迎仪式，隆重吧？"

这是一间位于京郊地区的工厂，因为给某知名品牌生产零部件而身价陡增。据说把我带到这里，是为了让我亲眼见证男方的实力——真男人，靠实力说话。

"够意思，给我找了个资本家呀？"我偷偷地对木夏说。

"什么呀，人资本家闺女都快上初中了。你不是不愿意当后妈么？给你介绍的是车间主任，离异无孩。"

"哦，那你能给我指指谁是主任么？一下来这么多人，我还以为都是候选人呢。"

"那边儿那个，看清没？平头的。"

看不清。雾大，屋子里又黑。

"别傻站着啊，"木夏捅我，"提点儿问题，让人家有机会暴露一下实力。"

"什么机械零件之类，我不懂啊！"

"还做媒体的呢，这么点儿专业素质都没有？"

我想了又想，终于清清嗓子响亮地问："我说，咱们什么时候去吃饭哪？"

于是大家腾云驾雾地去吃饭。

木夏一个劲儿地埋怨我，"你怎么这么没素质啊，提的问题一点儿不含蓄！"

我无奈，"赶了一上午的路我都饿瘪了，不信你捏捏我的腰，早上二尺一，现在一尺七。"

吃饭的时候倒是把人都看清楚了。

"怎么一桌子人全像好久没洗头的呀,连资本家在内?"我耳语木夏。

"嫌人家土啊?人不可貌相,人家身价几千万呢!你那前夫倒是天天洗头,不是靠不住么?"木夏点拨我。

我细细地打量着对面的主任:蓝毛衣里打条红领带,簇新,像托架一样托着细瘦的脖子和小巧的脑袋,小鼻子小眼,一对大招风耳,脸中间凹进去一块,仿佛被打了一拳的塑料娃娃,让人有种把它按进开水里浸泡复原的冲动。

大概是紧张的缘故,主任不停地用又尖又高的细嗓门讲笑话,笑话讲完全场人都端着碗玩儿命地扒饭,谁也不敢抬头因为笑不出。

"你还挺好看的啊!"主任开始恭维我。

"哪里哪里,人老珠黄。"我谦虚。

他突然把脸凑到我鼻子底下,仔细打量,"你这双眼皮是剌的吧?还挺真,不仔细看不出来。"

"何止呀,"我一副自豪的表情,"我还垫过鼻子、漂过白、隆过胸,并且,"我放低声音神秘地说,"还做过变性手术!这个你没看出来吧?"

看着他惊惧的表情,我纵声大笑,声震屋瓦。

❸

"失望了吧?"回去的路上,木夏问我。

"我还有资格失望呢?"我反问她。

"这个是最低级别的,级别高的陆续推出。一个比一个好——多带劲啊!"木夏解释。

"咱能一次到位么?要是我次次都又熨衣服又化妆地打扮,次次都白费劲,多打击我的积极性啊!"

"不是不知道你到底要什么水准的吗？直接给你来一最高级的，你坐着神七都追不上，那不伤自尊么？还是循序渐进吧！"

我也不知道木夏循的是什么序。

二号选手据说是个闪婚闪离的高干子弟，手腕子上套着一皮圈，皮圈连着个小公文包。

这次的节目是看演出，"高干"不时发表意见，完全不得要领；更要命的是不说话不动，一说话就肘击我肋下，逼得我闪展腾挪。他还诧异："说得好好的你怎么老一激灵一激灵的呀？"

我心说再不"激灵"非被您捅岔气不可。这高干家都什么习性啊，边说话边拿胳膊肘顶人腰眼？

木夏听完我的描述后大笑，"人家那是喜欢你呗！"

"能拜托他换个正常点儿的方式么？"

正常的方式就是打电话。

我们经常在电话里默默无语，度日如年。

一对成年男女天天没话找话是件非常辛苦的事情，他大概也有同感，于是渐渐"咸阳古道音尘绝"。

也不能说没收获。

人家从蒙古带回来的二斤牛肉干，一大包干奶酪吃到我牙疼。

"这次你可要好好表现啊！机会难得，努力把握！"木夏激动得什么似的。

"你是把威廉王子绑来了么？"我懒洋洋地说。

"跑英国去天天凄风苦雨生牛肉的你受得了么？"

"要是进王室受苦我认了，我也要体会一下戴安娜的孤独感。"

"进什么王室啊天天狗仔跟着。这主儿你要抓住一辈子吃香的喝辣的！"

"是饭店大师傅么？"

"瞧你那点儿想像力！总离不开工薪阶层。人家可是老板，开着好几个场子呢！"

"什么场子？听着怎么这么别扭哇？你不会是给我找了个黑社会吧？"

"真是黑社会也混到大哥级别了。见不见？"

"见呀。我还没见过黑社会呢。"

❹

其实人家算不上黑社会，不过是开着几家酒楼夜总会，江湖身份。

见面晚宴定在自家酒楼。

地方大，厅恨不得能有十米高，哪哪儿全贴着金箔，人声嘈杂，烟雾缭绕，门口迎宾小姐站一溜儿恨不得能有二十人。

老大四十开外，动作迟缓，身材厚重，腹部丰满，皮肤白净，正宗国字脸，亦中亦西——从东方的观点看，犹如被供奉的财神；从西方观点看，像扑克牌里的 J。

在我看来，老大这个角色不好演——

一面要不怒而威，一面又要平易近人，搞得他自己也拿捏不好分寸，结果弄得面无表情；加上熬夜、烟酒，面部浮肿得溜儿光水滑的，整张脸就像中年妇女不小心打多了肉毒素。

叼上烟，微微侧头，等人上前点燃；杯子空了，身子往后一靠，待人趋近倒酒。

半天不说一句话，说一句话想半天。谈话内容显然也经过斟酌与沉淀，主要精神有三点：第一，他白手起家壮志凌云；第二，当今若干明星名人都是当年他一手捧红的；第三，国际国内形势瞬息万变尽在他的掌握之中。

除了玩儿命点菜我一句话也没说，只顾鸡鸭鱼肉地举箸大嚼。

木夏不断在桌子底下踢我，等吃完一看腿都青了。

我还是不说话。

我不仅不会演老大、演成功人士、演成熟、演矜持、演豪门，也不会演崇拜者、惊叹者、宠臣和侍妾，完全不知道此时该背哪些台词，做哪些表情，所以根本对不上戏。

木夏只好打点起全副精神敷衍老大，言谈举止十分到位。

席间颇繁忙，不断有人推开包间的房门前来向老大敬酒，一套一套地说场面话；老大自己则不断地接电话起身离席出去应酬。

"抱歉久等，"老大高深莫测地回来，"刚签完一份合同。"

木夏连连表示理解万岁，"没关系没关系，生意要紧。"

"关于与某著名品牌雪茄场地合作的事宜，非我签字不可，麻烦。"老大回头，小姐上前点烟，老大靠在椅子背儿上吐个烟圈。

"就是雇几个女孩穿上超短裙在你们饭店里卖雪茄对么？"我突然开口。

木夏紧着掐我的大腿。老大看了我一眼，没说话。

那双眼睛像一对儿没洗干净的大玻璃杯子，空洞黯淡。

我们起身告辞，老大也不甚挽留，只说一会儿还有古装艳舞表演不看可惜，今后如果有机会的话……

我哈欠连天。

❺

"全叫你搞砸了你能不能稍微有点儿敬业精神啊！"木夏狠狠地踩着油门，在西二环上横冲直撞。

"生理期，实在没精神。"我疲惫地靠在椅背上。

"那还可以理解。我让他再做一次东？"

"拉倒吧。我看他还是对你感兴趣。"

"不会吧？"

"会。不然聊那么投机？"

木夏扑哧一笑，脸上流露出矜持的娇媚神色，"既然来了，总得应酬一下啊！"

"干脆你们俩凑一对儿得了。我保证不嫉妒。"

"得了吧，我家那位嫉妒。对了，"她突然跟大彻大悟似地说，"刚才应该把你名片给他，总监头衔呢，多唬人啊！"

"你的更唬人，还董事长呢。"

"你说你到底想找个什么样的吧？"木夏最后通牒，"对了，你说要找个赤子之心的，但赤子之心的人应该什么样？"

我嘶地吸了口气，仔细想想，"我也不知道。"

"这怎么找啊？没个标准。"

"想不出标准啊！"

"你梦中情人是谁？"

"爱德华·诺顿！"

"没听过。回家我就上网搜，看看这个爱得慌红茶究竟何许人也！"

半夜木夏给我发短信：原来你喜欢小白脸儿型的啊！

我回：脸白不白没关系，要的就是忧郁找抽的那股子劲道！

她：别扯淡了，说点儿正经的。

我：正经的就是找个你这样的，一见如故、善良体贴、还能跟我一块儿贫。

她：不得不忍痛拒绝你。我现在做变性手术我家那位不能答应。

❻

木夏很讲义气。

木夏认为她比我还了解我，"你得找一成熟稳重的，踏实地过日子，必须的！"

照此标准，她又为我物色了一位 48 岁的医生以及一位 52 岁的导演。前者秃顶，后者鹤发童颜。

我的敬畏之情油然而生，几乎立即鞠躬喊声"叔叔"。

"合着成熟就是老呀？"我翻着白眼问木夏。

"岁数大会心疼人啊，而且保证一心一意。"

"我怕我三心二意。"

"那小姑娘不是比你前夫小十六岁么，人家怎么能如胶似漆呢？"

"不知道啊，大概一个尊老一个爱幼，和谐到一块儿去了呗。"

"你就不能试试？"

"咱能不整这黄昏恋么？"

"你以为你是早上八九点钟的太阳啊？"

"再怎么说，我离最美不过夕阳红也还有一段距离吧？"

因为相亲我着实忙碌了一阵子。

那阵子堪称川流不息泥沙俱下。

由各色朋友介绍的各路英雄好汉让人眼花缭乱：包括一个横着比竖着宽的厨子、一个戴耳环说话结巴的撰稿人、一个给领导开车的体面司机、一个欲给俩女儿觅后妈的银行处长、一个建材城摆摊儿的小老板、一个出国前预备娶个媳妇跟行李一起带走的精明学者。

我努力发掘着自己和他们的共性，却常常一无所获。

我头一次发觉，原来三十岁的离婚女人在别人眼里如此 popular，简直就是人尽可夫嘛！

"咳，一到三十岁，甭管离没离，一律退居二线。精英是甭想了，剩给咱们的全是边角料。"粟粟感叹。

"你不是说受不了精英么？"我反问。

"什么精英！一个开口闭口某年红酒某年雪茄，英文法语加方言一起招呼，蔚为大观；另一个一嘴地道的京片子，进餐厅非跟人服务员要全英文的菜单。你说是不是找抽？"

我们一起大笑。

"不是有个开大奔的尾随你么？"我问。

"他女儿比我小三岁换你你去么？"

"不去。开航母尾随也不去。"

"是不是咱们要求太高了？"她游移。

"冤枉！"我大叫，"你是高标准严要求，我都没标准了还怎么低呀？"

"以前我觉得恋爱嫁人还不简单？是个女人就会，"粟粟看着天花板，很茫然，"现在看来这很可能会成为不可能完成的任务。"

不仅是我和粟粟。

如果把我们身边所有女中年的相亲故事原样写出，即成短篇小说集，无需修改，篇篇精彩。

"见了这么多都看不上眼？真等威廉王子吗？"木夏揶揄我。

"他真来了我一样看不上。"

"人家到底都什么地方不好你说来听听？"

"没感觉。"我坦言。

"什么感觉？"

"恋爱的感觉。"

"青春期还没结束呢？"

"青春期那叫早恋，大姐。"

"做人要实际。"

"感情也很实际呀，就像人体经络元气，虽然看不见，却是'人之所以生，病之所以成'之关键也！"

"总不能指望一见钟情吧？没感觉，可以慢慢培养嘛！"她循循善诱。

我一怔，这句话何等熟悉！

当年刚认识不久我就要跟猪吹，我说我对他完全没感觉。

我妈语重心长兼威逼利诱地对我说："没感觉，可以慢慢培养嘛！"

培养来培养去，还不是离了；所谓七年之痒，真正又培又痒。

不不不，有些东西能培养，比如细菌；有些东西不那么好培养，比如感觉。

"上次给你介绍的主任，人家上礼拜都结婚啦！"

"哦！"我说。

"还有那年过半百的导演，我又帮他介绍了一姑娘，才比你大四岁，就精明实际得多，俩人现在好着呢。"

"哦！"我又说。

"傻丫头，男人如干粮，抢不着白面的好歹也弄一棒子面儿的，下手不快连杂和面的都捞不着，都闹饥荒了还讲究口味呀？"木夏撇嘴。

"饿死不食周粟。"

"老了怎么办？"

"身边那么多单身大姑娘呢，我愁什么呀，说不定到时候遍地是孤寡老太太合作社呢。"

她叹口气，"做人要学会委曲求全。"

"我不想求全，犯不上委屈。"

谢尔·西尔弗斯坦写了本书叫《失落的一角》。讲的是一个缺了一角的圆，一路歌唱一路找寻那失落的一角；走遍天涯海角，终于找到了欠缺的那部分。但当它兴奋地成为一个完整的圆时，却发觉自己再也无法唱歌了。于是，它轻轻地放下那辛苦觅得的一角，唱着歌继续自己残缺的旅程。

要牺牲欢乐换取圆满，代价太大。

我不干。

❼

我终结了相亲——太注重结果，很难放松享受中间的过程；太急于求成，很容易说服自己、委屈自己、欺骗自己，硬着头皮不爱装爱。

做事过于功利，生活丧失乐趣。

当年我和猪就是一对儿鲜活的例子。双方的盘算都打得太精刮，结果人算不如天算。

也许碰巧我们都过于急功近利，相亲也有不少成功的例子。

比如我爸妈，结婚三十多年了还在一块儿起腻。

"当年你怎么看上我妈的呀？"我问。

"白白净净小眼放光，精神！就她了。"我爸说。

"那你是怎么看上我爸的呢？"

"他那双眼睛，跟老山羊一样，善良透顶！我想，就他了！"我妈说。

看，相亲也不是不能一见钟情。

但我想换换。

我的第一段婚姻始于相亲，我希望第二段有另外一种开头。

下棋的时候我不喜欢总用一种方法开局，宁可输掉也要换种走法。

既然有重新开始的机会，为什么不尝试另外的可能？

不是说我的地盘我做主？就是想换换开头还不行么？

"平白失去多少机会。"木夏啧啧。

"与一个全无交集的陌生人努力培养感情，没事找事，没话找话，不仅滑稽，而且消耗了大量时间精力，我实在吃不消。"

"放弃了？"

"漫无目的地往前走吧，遇到什么就是什么。"

"机会渺茫。"

"我希望偶遇那个人，我希望一切自然而然地发生，没有目的，不求结果，不着痕迹。"

"太浪漫主义了吧？我以为人首先要知道自己要什么，然后去努力追求。"

我笑："以前我也这么想。"

"为什么改变？"

"因为摔过跟头。"

"不能因为一棵树木就否定整个森林呀。"

"不是否定。人总是不知道自己究竟是谁、要什么,所以常常拿到了才发觉自己原来并不需要。好比在干渴的荒漠里努力寻找一棵仙人掌,拿到手里才明白自己不是骆驼。"

"所以,放弃追求等待赐予?"

"不,是放弃目的,随遇而安。"

"万一遇不到呢?"

"那也没办法呀,"我叹口气,"得之,我幸;不得,我命。但是,我不会那么倒霉吧?"

决不会再傻一次:为恋爱而恋爱,为结婚而结婚。

从前我的生命状态像一只手,只见局部,不见全体,一味渴求,不断攫取;今后我希望自己能活得像一溪流水,想想"水到渠成"这四个字,那种状态多美!

"也总要有标准吧?真的遇到什么就是什么?"粟粟好奇。

"有标准的一定不是爱情。标准是人为的,但爱情不是。"

"不会给自己规定是某一类人么?"

"也许要在人海中看见他才认得出,怎么规定?"

"这么说人人都有可能?"

我挠头,"呃,好像的确是。"

"人尽可夫啊。"她笑。

我也笑,"的确如此啊!只要我爱上他,又怎么会在意他是谁?"

在人艺小剧场的书店里,买过一本法国人做的布贴画书。里面有一个奇怪的动物,每个人都诧异地看着它,判断它——是猫么?是狗么?是耗子么?河马?海狸?长颈鹿……直到有一天,一只兔子走过来对它说:"我喜欢你的毛。""你不想知道我是谁么?"它问。

兔子的回答让我一辈子也忘不了,它说——

"你是我的爱。"

择 偶

去扎针灸的时候听到年轻的小医生说："一定要一米八。"

旁人问："一米七五行不行？"

"不行。"她坚决摇头。

"一米七八行不行？"

"不行。"还是摇头。

她一定要找个一米八的男朋友。

我几乎立即举手推荐前夫，他倒是一米八。

❶

女人感性起来简直毫无章法，谈起择偶标准像在说梦话——

"单眼皮的。"

"懂得穿白衬衣的。"

"用 KENZO 香水的。"

"律师。"

"会弹吉他。"

"学理工的。"

……

希特勒总说犹太人该为德国的失败负责。某天，他又在公众集会上慷慨激昂地发问："谁该对德国的失败负责？"突然，一个人站起来说："骑自行车的人。"希特勒不解，"为什么是骑自行车的人？"那人反问，"那么，为什么是犹太人？"

为什么是犹太人而不能是骑自行车的人该为失败负责？

为什么是单眼皮、穿白衬衣、用 KENZO 香水、会弹吉他学理工的、搞艺术的，而不是双眼皮、运动衣、不用香水、爱看书、学经济、搞房地产的为我们的幸福负责？

人容易陷在自己挖的陷阱里。

一个女人倾慕一个男人：他连去工地都穿着阿玛尼。

男人不以为然：只看到阿玛尼，是她自己的局限。

童话里的王子从门缝里看到一根美丽的手指就害起相思，以为一定是个美丽的姑娘。等举行了婚礼才发觉新娘是个老太太——谁也没说老太太不能有漂亮的手指呀！王子掉进了自己的局限。

越来越多的女人学会了脚踏实地，在征婚节目里亮出自己的择偶标准："身高 ×× 以上，学历 ×× 以上，月收入 ×× 以上，户口 ×× 地"。×× 部分很灵活，基本都是比量着自身的 ×× 而定的，可见大家都是本分人。

看完让人想起一词：待价而沽。

不仅要待价而沽，最好还要货比三家，诚信交易，千万不能把自己卖亏了。

假如一个女人打定主意，要买一件"粉红、船形领、七分袖、雪纺、夏季、纯色、长款、日式、系带、高腰、休闲、连衣裙"，而最后也买到了，其中的乐趣和上身之后的效果，是否就比街边小店里偶然看中的一件更好？

　　与择偶相关的，还有一系列形容词，比如幽默、成熟、高大、英俊、体贴、温柔、开朗、乐观、踏实、敬业、有责任心、重感情等，每则征婚启事上都如此要求，让人以为天下女人要找的都是同一个男人，而这个男人却迟迟没有出现。

　　如果你正在找一只动物，你说：美丽、温柔、健康、沉着、勇敢、有能力、有责任心、重感情。别人会纳闷：没错，你说的形容词都很棒，但能否告诉我们你要找的是一只狮子？还是大象？鲸？螳螂？企鹅？豪猪？

　　形容词永远是皮毛，不是本质。

　　一匹狼的英俊、成熟、温柔、健康、有责任心，与一只天鹅的英俊、成熟、温柔、健康、有责任心相去甚远，虽然它们享有同样的形容词。

　　在熟练地排列组合这一系列形容词之前，或许女人们应该先搞清楚对方究竟是谁。

　　一头母牛不会幻想与一只雄鳄鱼生活在一起，哪怕它再健康、强壮、忠诚。

　　离婚后的某天，和猪同去办一项手续。路上有说有笑，殊不寂寞。

　　猪感慨："如果彼此成熟些再相遇结婚，也许可以白头偕老。恨只恨相遇太早。"

　　我笑："成熟些再相遇，恐怕连七年夫妻的缘分都没有。那时我们大概可以发觉彼此根本无交集。"

　　离婚后我再也不必说服自己化腐朽为神奇，可以换一种比较客观的眼光打量猪。

　　去购物，他请我参谋却坚持要买处理货，结果付了账才发觉椅子断了一条腿。

去银行分割财产,路上健步如飞,并不管我是否能跟上,回来见车门上被贴了罚单,便哇哇大叫着与"红胳膊箍"理论,结果还是我帮忙道歉才得以撤销。

为办房产交割起了大早,排了长队,才取到一个号码,他却偏要趁着等待的空隙去见现任女友,结果路上追尾,赶回来时早过了号,只得重新再排……

按照女人们的择偶标准筛选,猪算是理想人选,但和他生活,就像装着不合适的假肢,说不出的别扭,因此我常常大发雷霆。

从植物学的角度看,猪是被催熟的香蕉,剥开成熟的黄色表皮,里面是又硬又涩的青芯。

从动物学的角度看,猪是一只蚌,把灵魂与肉体蜷缩在甲壳之中,消遣着自己的喜怒哀乐。外面有外面的规则,他有他的;尽管在世面上走了几十年,仍然世界是世界,他是他。别人眼里的"老实",细究起来原是种很深的漠然。

并不是他不好,只是我们并非同类。

从前能共同生活,只是因为互不相识;识破了对方的真身之后当然不可能继续进行,这种怪异的组合——简直像疯子科学家的基因突变试验。

"当初为什么嫁他?"我问。

"当初他对我太好。"水晶答。

"为什么离婚?"

"婚后他对我不好。"

无数女人是被"对我好"三个字拖下水的。

"当初我没看上他,但他猛追呀,对我又好。"女人们讲起"悔不当初"的时候,总喜欢用这样方式的开头。

巧言令色鲜矣仁。一味做小伏低,或许未必是真情,只是技巧,目的是得到。

男人和女人都很可怜。从小到大学会的不是敞开自己,而是炫耀伎俩。

谁也没得到爱，得到的都是爱的幌子。

我身边九岁的小女孩都会说："不要对一个男孩太好，这样他会不在乎你。不要答应他所有的邀请，即使你很想出去。不容易得到的东西才稀罕，我不能让自己太随和。"

而男人则如出一辙地送花、送糖、送首饰，陪吃、陪玩、陪购物，因为他们相信追女孩时就该如此。千辛万苦只是为了"得到"，就像争取到一大单合同。一旦结了婚，就可以大撒把——产品既售出，售后服务就是另外一回事，戏演太久难免会累。

我认识一个男人，说起自己的女友赞不绝口："聪明！把我防控得严严实实，挟制得服服帖帖。""那么你决定从一而终？""出去玩还是要玩的，哪里有压迫哪里就有反抗嘛。""不怕被发现？""怕才刺激。再说我也有勇有谋。"

都不是坏人。只是头上蒙着壳子，不知道自己在做什么。

❷

"照你的说法要怎样选择一个男人？不会是凭感觉吧？"木夏不可置信地看着我。

"当然，"我说，"凭感觉。"感觉来临的时候，所有的标准都会像马其顿防线一样沦为废物。

"无知少女可都是这么上当的啊。"木夏拍我。

"不怕，我是有知弃妇。"我说。

孩子的感觉最灵敏，看见心思不善的人就知道哭，虽然也说不出理由。长大后灵性被欲望与杂念覆盖，感觉常出偏差。后来刻苦修炼，力图一点一点返璞归真，才能重新相信自己的感觉。

我们的确可以一眼在人海中认出自己的同类，只要心思澄明，眼神锐利。

"如果你现在没有房子住，没有存款花，还会不会如此感情至上？"木夏问得毫不客气。

我努力想了想，然后很老实地说："不知道。"

最好还是要有些基础，否则择偶很难自由；也有不顾一切听从感觉的驱使的，我敬佩他们都是性情中人，无论成败，体验无价。

还真要感谢猪，给了我自由选择的保障。

"凭感觉就一定有个好结果？"

我不得不叹口气，"不。很多恩爱情侣缘分短暂。"

人定胜天纯属谣言。

一半天注定，一半靠打拼，每个人都需要有那么一点点运气。

葡萄抱怨世上简直没有好男人。

我向她请教什么才算好男人。

"长的不能太难看吧？收入和职位不能比我低吧？穿西装的时候要懂得如何搭配衬衫和领带吧？头发上不能打太多发胶吧？如果不能说出警世名言就该闭嘴吧？假如没有幽默感就不要讲笑话吧？不能有肚腩吧？不能有汗臭吧……"

我听到几乎犯困，赶忙截住她的话头，"照你这标准，查尔斯王子都不行啊。"如果真的让我遇到这么一个人，我愿意。"葡萄很向往。

后来葡萄兴高采烈地说她找到了那么一个人，十全十美，就像照着她的要求量身定制的。再后来发现那人是个骗子。只有骗子才会十全十美。

《天龙八部》里的李沧海爱上了自己雕刻的玉美人。

希腊神话中的匹格梅里安爱上了自己创作的雕像伽拉泰娅。

他们的世界里容纳不下一个有血有肉的真人。

假的最好，不仅没有缺点，而且可以承载所有美好的想像。

现在的机器人已经具备比真人更理想的皮肤、身材和五官，想必未来人

·

人可以拥有自己想像中的完美爱人。

一切都很完美，除了没有生命。

❸

小时候我不喜欢爸，开家长会都一定要妈去。

当然是因为我爸不够体面，笨嘴拙舌其貌不扬 —— 小孩子的虚荣特别直白。

"为什么嫁我爸？"长大后问我妈。

"说不清为什么。一看他眼睛就觉得好，善。"

我撇嘴。

我妈那么傻，当年一众追求者里我爸最劣势：身高、学历、相貌、能力、家庭条件，没有一样配得过我妈。追求者里有人后来还做了高官，仍然惦记着我妈，打电话说要和她见面。我偷偷地站在门外，听我妈把这事告诉我爸。我爸笑笑："想去的话我送你去。然后我自己在外面溜达溜达，再接你回来。"

我觉得我爸不够有男子气概。

"如果你不嫁我爸，我没准比现在聪明漂亮。"我心里盘算着当高官家里的千金。

我妈笑，"不嫁你爸哪来的你？"

我觉得我爸是个失败者，从学徒工一路苦干升上了局长，又因为性情磊落不善权谋从局长沦落成推销员、工厂门房，非常卑微。无论对谁，又都推心置腹，连酒桌上说的都是肺腑之言。人家利用他，他仿佛浑然不觉；明明吃了亏，下次还是全心全意。我妈替他抱不平，教他区别对待，逢人只付三分真心，他永远不懂。人人他都要对得起，不管人家是否对得起他。自己受委屈不算，有时家人也要跟着受委屈。

我不忿。那时我崇拜的是一将功成万骨枯的英雄，人不为己天诛地灭的赢家。我的厌恶与鄙夷时时流露，话很也少对他说。好在我爸迟钝，我以为他毫无知觉。

难得的是我妈，多少年大起大落、大喜大悲，始终对我爸忠心耿耿。我一直认为是我妈支撑着整个家。

所以努力找个和爸相反的人结婚：有能力的、精明的、算计的、不吃亏的……总之，体面的、带得上台面的、不傻的。

离婚的时候，自诩开朗精干的我妈方寸大乱、歇斯底里，幸亏还有我爸，他深深的平静简直是我妈的安定剂。

我妈把我骂得狗血喷头，预言我必将因为单身而变态。

"你说说她，别总让我说，你自己充好人。"我妈气势汹汹地吼我爸。

"都是想好，但不能强求。两个人过也好，一个人过也好，只要你快乐。形式不重要，你不必活给别人看。"我爸说得不慌不忙，说着又看了看我妈，"无论你怎样生活，我们都尊重你。"

我惊异地看着他，他的眼睛里充满了解，很温暖。

我不相信从他嘴里能说出这样的话。

一个男人的深度，原来与学历职位权势财富毫无关系。

"当初我本想着再一力地撮合你和猪，你爸不同意。"后来我妈说。

"和不爱她的人在一起，女儿会委屈。你不要以为破镜重圆就是好结局。"我妈转述我爸的话。

"还说什么？"我问。

"让我不要自以为是，强求结果。说凡事顺其自然。"

"还有么？"

"让我少说多做。说我的任务是照顾你不是指责你，你比我们都难过，需要时间平复。"

"嘿,你不听指挥呀!"我假作斥责。

"我那时候心乱如麻,哪还顾得上你的感受?我的豁达是假豁达,你爸才是真的。"

"原来他是你的精神支柱才对。"

"一直是,无论遭遇什么变故。那阵子我天天失眠,幸亏他开解。"

"我总是以为他傻。"

"他才不傻,什么都明白,只是不计较;手段也懂,只是不屑用。在他眼里,人人都比他更不容易。"

"我们都做不到他那样——宽人严己。"

"并且不求回报。我还市侩地跟人计较他总说不必。"

"大智若愚。"

"你离婚的时候我背地里骂你傻,为什么不用手段拖住猪?为什么让他随心所欲,为什么不狠狠地折磨他?你爸说,这不是傻,是单纯善良,虽然看上去满身是刺,却从不用下作的招数,从无害人之心;我的女儿像我,我喜欢这样的女儿。"我妈絮絮地说。

我假装低下头吃饭,免得被人看见红了的眼圈,手却抖得几乎握不住勺子。

那一瞬间我和爸消除了三十年的误会,认识了彼此。

爸仍然寡言罕语,只是笑眯眯地对人好——对所有人,无条件的。

"你对人家好,要马上忘掉;人家对你好,要记一辈子。"他说。

"人家对你不好,总有人家的不得已,要体谅人家。"他又说。

靠着给工厂打更,他每月有五百块的进项,有时因为抓小偷摔得头破血流,从前的单位早倒闭了,也不见他忧心忡忡——"做人总要顺其自然,再说我也没有什么地方要花钱"。可以自苦,但努力不苦人。

他最大的娱乐是清早起来散步，一走几乎能绕城半周。

他是个没有欲望的人，不以物喜，不以己悲。

"你这辈子最大的价值就是照顾了我爸，那么善的人。"我对我妈说。

我妈嗔中带笑，"你爸听到要乐死，我算是倒了霉找这么一傻瓜！"

"嗳嗳，我爸这样的男人万里挑一。你对他不离不弃并不全是因为他对你好，还因为你尊敬他，为他蹉跎年华，你觉得值。"

"可是那么穷！"

"你是缺吃还是少穿？要那么多钱干什么？活着一张床死了一方土，你总不见得要每天抱着金银财宝才会哈哈笑吧。"

"不得了，竟然倒戈了！"我妈叫。

"谁叫我爸有人格魅力？"

"切，从前也没看见你这样崇拜他。"

"从前我有眼不识泰山，不知道得道之人就在身边啊。"

原来男人应该像土地，平凡卑微却蕴藉丰富，包容化解而催发生机，沉默厚重，平凡到几乎不会引人关注，少了他却立即失去了安身立命的依傍。

做人总要脚踏实地。

"虽然你爸说顺其自然，可我看你还是要抓紧时间再找一个。"我妈唠叨。

"要找就找我爸这样的。"我说。

"我这样的都是笨人。"我爸说。

"才不是，"我嗔他，"有你一半就好。"

"完了，家里一个傻女婿不够，还要再添一个。"我妈笑着摇头。

❹

粟粟出心理测试题给我——

如果你必须窃取机密文件，逃亡计划也已设想妥当保证安全，你会采取以下哪种方案？

A　化妆成工作人员混进去偷

B　携强大火力轰开大门直接抢

C　月黑风高之夜破坏安保系统之后再伺机行动

D　挖两天地道进入保险柜

我毫不犹豫地选 B。

她大笑着说出答案——

A　对目前的恋爱缺乏安全感

B　只要我喜欢没什么不可以

C　内心饥渴难耐但极力保持冷酷外表

D　只有幼儿园水准常常表错情而不自知

"不是说要自然而然水到渠成么？"她揶揄我。

"自然而然是指无意遇到，遇到之后总要一把抓住。"我笑。

"还以为你靠上帝。"

"天助自助者。"

"女人等待被人追是种特权。"

"我也想享受特权啊，但万一那家伙尚未睡醒，当然要抓住他敲他的头，总不能白白错过。"

"多没面子。"

"谁先认出谁不一样？"

"你好生猛。"她笑。

"佛经上有句话,叫做'香象渡河,截流而过',形容智慧和勇气,直奔彼岸,无须迂回。"

那人经过的时候,我会认出并拉住他,我保证。

大 团 圆

不是破镜重圆, 但我比较喜欢这样的结局。

　　粟粟说起最近的一次相亲对象, 这里不行那里不行, 絮絮叨叨很多缺点, 最后撇着嘴道:"要命的是, 竟然还是个二婚!"

　　我举着拳头跳到她面前, "哎, 哎, 二婚怎么了? 你给我说清楚!"

　　粟粟又笑又窘, "不是不是," 她捂着嘴笑得腰弯, "没说你!"

　　"嘿, 不行, 今儿你必须得给我说明白喽, 二婚怎么着你了?"我打蛇随滚上, 揪住粟粟的胳膊一阵乱晃。

　　粟粟告饶, "等你再婚的时候我肯定送你一大红包还不行么?"

　　我松开她, "必须的! 当补偿我精神损失了。"

　　一旁的水晶突然开了腔, "咦? 我结婚的时候怎么没人送我红包呢?"

　　大家面面相觑。

　　"你那不是情况特殊么?"木夏一副欲说还休的表情。

　　"哼, 你们这分明就叫歧视二婚!"水晶愤愤。

　　不久后, 二婚的水晶喜得贵子, 大办满月, 终于借机补收了红包, 算是替二婚人士讨了个公道。

❶

刚离婚的时候我问水晶:"后面是什么感觉?"

水晶笃定地答:"后面的男人肯定比前面的好。"

我却没她那么笃定。那时候我即使爬到山坡上、拿着放大镜远眺,也连一个男人的影子都看不着,真正是"前不见古人,后不见来者"的境界。

没想到"众里寻他千百度,那人却在灯火阑珊处"这句话会应验在我身上。

我的生活还真是充满了诗意。

相遇可以说非常浪漫。南印度洋上的岛屿,水滴形的国土,风里有浓郁的植物的味道,空气是热的,蒸腾着浓重的水汽,热带岛国的夜像情人温润急促的呼吸,一切都呈现出即将融化的面目,柔和而暧昧。我们坐在水边谈天说地,漫天的星星又大又亮。

他和我梦中情人的模子没有一点儿相似之处,但"感觉"这东西是从来不讲道理的。

他的眼神像秋天的阳光或者傍晚的湖水,让人容易梦游似的沉湎其中。

一切都很完美,只有一个遗憾——我已婚。

对,那时候我还没有离婚。

以后的日子变得很挣扎,离开的时候也并没发生什么。回国的飞机上我们隔着坐在中间的木夏狠狠地用枕头打砸着对方——说是游戏,其实是欲火难平,格外懊恼。

后来我们把彼此当做哥们儿,在那样不真实的情景下都没发生的事情,在现实的空气中更不可能发生。直到离婚后,一些偶然的机缘巧合,我们终于走到一起。

"你从什么时候开始喜欢我的？"他问。

"第一眼。"我说。

"不信，那晚我提出种种暗示你故作不知。"

我跳起来，"什么？我是真的没听懂！"

"如果听懂怎么样？"

"哦，我不知道。"

我的确不知道，但我喜欢现在这样的结局，虽然迟了这些年，但心里很坦荡——谁想到猪的背弃成全了我们的残梦呢？隐忍是值得的，等待也是值得的，命运曲曲折折地做出了补偿。

生命里悲欢离合的真相，都须离远了才看得清，那时方能以超然事外的眼光，叹声"原来如此"。

"这下倒好，你心理年龄十八，找个男人心理年龄只有十三。"木夏揶揄我。

我笑。我喜欢单纯。

"你不会真的是在恋爱吧？"她诧异。

我点头，"真的。"

"还相信感情？"

"当然！总不能看到了还不信吧？"我笑。

离婚后木夏一直忙着替我作媒，没想到我们的姻缘她几年前就在无意中安排妥帖了——不是她邀请他同去那个岛国，我们也许今生都不会见面。

"也好，"木夏在苦劝我们未果之后开了悟，"还省了我一个红包呢！"

其实不用木夏规劝，走在一起前我们也曾犹豫挣扎，就像《傲慢与偏见》中的达西与伊丽莎白。虽然最后仍然听从了感觉，但那与少男少女不顾一切的单纯而冲动的爱情是有区别的。

❷

肖风给他起了个诨名："阿童木"。说他又像儿童又很木,名字里恰巧又带个"童"字。

我大乐,从此叫他阿童木。他的眼睛又圆又亮,额头上的发际线突出了一个尖儿,五短身材,雪白肤色,穿黑色紧身内裤的时候尤其是阿童木真人秀。

"哎,阿童木比猪好呢。"在医院的中药房窗口,粟粟凑到我耳边说。

"怎么看得出来?"我问。

"刚才多热心地帮我拿药、装袋、拎包,猪连看都不多看我一眼!"

我瞥她,"没准是看上你了。"

粟粟捶我,"别逗了,阿童木还不是看在你的面上才对我好的?我是你朋友嘛。"

过一会儿她又挨近我,嘀嘀咕咕地说:"猪呢,倒是什么都听你的,就是,怎么说呢,对你缺少那么点儿热乎劲儿,我没见过他几回都看出来了。"说着用肩膀碰碰我,"这次可要好好把握,你的脾气也真得改改。"

我瞪她,"嘿,帮你拿几包药就把你收买了!"

粟粟叫屈,"不是朋友谁跟你说这话?"

我笑,"我知道。我改。他对我那么好,再发飙太没人性了。"

"你们,呃,你和你的新男友,有没有发生,发生关系?"

有一次见到猪,他磕磕巴巴地问。

我本不欲回答,想了想,还是说:"当然。否则男女关系不健全。"

"那,你们,嗯,在那个、那个方面,和谐么?"猪像个不老练的调查员。

我点头，有意做出大方的神气，"很好。"

猪哦了一声，很意外的样子。

"其实，"我一字一顿，"如果你去做个小手术，也许会好些。"

"不用，"猪激动起来，"我们，嗯，我和她，也很好。"

我打量他几秒钟，随即一提嘴角，"那就好。"

"奇怪，只有我们不行。"猪沉吟。

"大概好比一把锁配错了钥匙。"我说。

"其实，我又想过，以前我们都太年轻，换成现在——"猪看着前面，把侧脸对着我，沉默片刻，叹口气，"就像电影台词里说的，'恨只恨相遇太早'哇！"说完笑笑。

我也笑笑，没说话。

换成现在，我们大概不太可能结婚。

"哎哟，外头走廊的沙发上躺着个人，黑洞洞的，吓我一跳。"水晶惊叫着进来。

当时凌晨三点，整个大厦只剩下我们一个部门在加班。

我走出去坐在那张沙发上，阿童木睡眼惺忪地看着我，"能走了么？"他拉住我的手。

"快了，最多还有半小时。都跟你说了不用来接，我自己打车回去。"

他眯缝着眼睛，笑得像个慈眉善目的和尚，"这种时候我不来，要我还有什么用？"

"太辛苦。"我摩挲着他的头发。

"不辛苦。反正我一个人在家也睡不着。"他还是笑眯眯的。

同事们起哄，说我运气太好，怎么别人都没有勤务兵在外站岗，只我有。

"因为她有魅力嘛！"阿童木声音响亮，说得一点儿不脸红；我只好咬紧了后槽牙窘笑。

事后,他把和我同路的同事一一送到家门口,最后我们回家。

车上想起粟粟说的话:"阿童木对别人也好,还不是看在你面上。"左手便不由自主地搭住他放在坐椅上的右手。他左手扶着方向盘,转过头来,我们看着对方的脸,对面的车灯不间断地在彼此脸上划出月光般的弧线,一明一暗,一明一暗,眼睛却始终闪着光,黎明变得柔软而温暖,充满了热情的气息——那是嘴唇碰到了嘴唇。

"真要命,"阿童木笑着说,"都忘了看路,后面的车要疯了。"

"难怪美国立法,禁止男女在车内接吻。"我自嘲地笑。

他抓住我的手,放在挡把上,用力握了一握,像是我们一起开车,朝着湛青的天空下一线白色驶过去,像迎着海平面上的一道浪,那是破晓的方向。

"我想去海边。"

下午,走在烈日炎炎的大马路上,我自言自语。

"那咱们走。"阿童木说。

"现在?"我惊异,这不是计划内的事,一切都没安排好。

"现在,"他拉着我的手一直走。他的手心干燥而温暖,他的像心脏般一跳一跳的。握着他的心,我觉得脚下的陆地异常坚实。

那天晚上,我们肩并肩坐在海边看远处的渔火——原来安全与自由夹杂在一起的滋味相当销魂。

有个老故事,说国王要处死一个囚犯。囚犯大喊:"留下我,三年之后我可以教会您的马上树!"于是他活了下来,活得很快乐。旁边的人替他忧心忡忡:"三年后如果马不会上树,你怎么办?"那人耸耸肩,"也许那时马已经死了,也许国王死了,也许会遇到大赦,也许战争把一切都打乱了,就算这一切都没发生,也许马真的上了树呢?"

我总觉得这个教马上树的家伙很像阿童木，脸上隐隐刻着一行大字："放松，没什么大不了的"。

"你不适合蕾丝衣裳，那不是你的感觉。"阿童木喜欢我素面朝天穿大 T 恤运动裤，他不说我漂亮只说我帅。

"你像个菠萝，外表坚硬多刺，其实有着甜美多汁的芯。"有天躺在床上的时候他说。

我们喜欢在读过《水浒传》之后兴致勃勃地给对方讲解自己的心得；我们喜欢举着相机到处跑，也会为了抓住落日的最后一抹余晖沿着湖岸一通猛跑；我们喜欢躺在湖边读书，希望能和多年前阿童木在这里放生的乌龟见上一面；我们喜欢一时兴起就开车去清东陵，站在暮色四合的神道上看巨大的月亮从石相生的头顶静静地升起来；我们喜欢躺在地板上听交响乐，不开灯，只要"明月来相照"——阿童木暗恋月亮，每天晚上都跑到阳台上去看。

此外，他还是个"饲养狂"，吃过的倭瓜、西瓜、甜瓜都要留下种子，加上一株因为没来得及吃所以抽出芽来的山药，均被阿童木安置在我们阳台上的木盆里，竟然也都挨挨挤挤地发了芽——虽然地方太浅窄，被前来做客的肖风讽刺为"虐待植物"，给它们住"经济适用房"。家里的花长了又长，开了又开，鱼生下一群一群的小鱼——人或许可以欺骗自己的感觉，动物和植物们不会，他们了解周围的气场。

原来，爱就是生机勃勃。

向别人介绍阿童木的时候，我喜欢把他叫做"爱人"。

我们是爱人同志。

猪从未在黎明出现过，从未在我心血来潮时带我去看海，也从未欣赏过我穿 T 恤的样子，栀子花生生地被渴死——我出差的时候他忘记浇水。

比较也许是不公平的，但在没有任何东西可做比较的茫茫雪野上，人难免会迷失方向。

❹

我妈带着有所保留的客气接见了阿童木。

对于乘龙快婿，我妈另有标准。

"谁追谁啊？"她拉长声音。

"我追他。"我迅速答。

"为什么？"

"性吸引力。"

我妈张着嘴，半天没说出话来。

"你们，打算什么时候结婚？"

大概已经从我婚变的打击中恢复过来了，我妈把此后永不管我闲事的誓言忘到了脑后。

"暂时，还没打算。"我迟疑地回答。

她的两腮马上掉下来，眉毛却往上猛挑，圆脸瞬间变成长脸，"那还在一起瞎混个什么劲？"

我心里大叫一声"救命"，知道我妈的教训又要像高压水龙一样把我冲倒在地了。

经过一次婚姻，我对结婚证书这种东西看得很淡，阿童木也一样。我们几乎看破了一切形式主义。

然而，"我们还是结婚吧，"他说，"实在不想老跟你爸睡一张床。"

每次回我家，我妈总要用严厉的眼色扫射我们一番。只要我走进卧室摊开被子，我妈就马上跟进来，躺在我旁边。阿童木只能苦着脸走进另一间卧室，跟我爸同床共枕。夜深人静，父母大人的鼾声嘹亮地相互呼应着，高低唱和，我们躲在被窝里偷偷地发短信。"我想你。"他说。"我也是！"最后各发一枚"嘴唇"过去。

我妈像十九世纪美国清教徒保护十四岁少女的贞操一样保护着我，婚前性行为在我们家是个禁忌。

没想到同住一个屋檐下还要害上相思病，只能趁着无人注意的时候拉一下手，不像恋爱，像偷情。

秋空辽阔的海边，背对着墨绿起伏的松林，阿童木拉着我的手跪下来，对着海面喊："嫁给我吧！我保证一辈子对你好，不然就让大海把我收回去！"我怀疑这声音会乘着风飞到海的那边去。他一向是这种周星驰式的无厘头做法，让人不知该哭该笑。一道道白浪被风赶着，哗啦啦地涌进我胸中，荡平了一切块垒，眼睛里飞溅出带着咸味的喜悦来。

没有戒指，我们从地上捡拾长相标致的松塔作为定情信物。"让我来打扮一下新郎。"我把松塔在他的毛线帽子上别了一圈儿，他看上去像是京剧《三岔口》里的人物。我们逆着阳光跑，带着一层金红色的轮廓，高兴得像两个小孩儿。

事后想来也颇讽刺，我的两次婚姻都是我妈促成的——尽管用的是不同方式。

"仪式还是必不可少的，也是给大家一个交代，不然算怎么回事呢？"
我妈顽固地坚持着导演"大团圆"的结局，尽管男女主角对此退避不及。
"哎呀，不用，都老夫老妻了……"我脱口而出。
"唔？"我妈突然像豹子一样盯着我，"你们是不是婚前同居了？"

我正掩口倒抽冷气，突然想到木已成舟，索性答，"是。"

"那回家来干吗还分房睡？"

"掩耳盗铃呗。"

"三十岁的人了，你怎么这么没原则呢？"

在我妈开始滔滔不绝之前，我截住她，"不试试谁知道合适不合适？我可不想再离一次婚。"

"拉倒吧你，"我妈心有余悸，"你再离一次我都没脸见亲戚朋友了。"

我举手投降，"息怒！全听您的吩咐还不行么。"

"结婚那天不许穿牛仔裤啊！"她颇有先见之明地加上一句。

结果，阿童木翻出了他的唯一一套西装和唯一一双皮鞋，都是上世纪的古董，皮鞋尖头高跟，像猫王的遗物。

我穿一身黑——那是我这个季节唯一的正装。

根据安排，酒过三巡，我是一定要说些什么了。

看着诸位亲朋五味杂陈的脸，我一手端着酒杯，一手攥住阿童木的手，"我们一定要白头偕老，坚决不能让大家送第三次红包。"

我妈瞪着我，两眼快飞出刀来。

❺

"有人说婚姻就是那么回事，跟谁结婚都一样，无非是吃饭、看电视、睡觉、吵架、做爱。"肖风说。

我嘲笑她是一张白纸，"喂，你一次婚都没有结过，没经验千万不要乱说话，怎么会一样？事情虽然一样，人差很远好不好？"

"简直不敢到他们家去，"木夏对着水晶撇嘴，"就没见过这么腻的！大热天的，两人坐在一把凳子上，头靠着头，读一本书，还要手把着手一起翻页！我这个朋友都坐不下去了。那句成语怎么说的来着？哦对，如坐针毡！我说你们俩有点儿出息行不行？又不是这辈子没谈过恋爱！"

水晶跟着她嘘我们。

连我们自己也怀疑两个人是不是都患有皮肤饥渴症，无论干什么，身体总要有某个部分连接在一起。吃饭的时候，他光一只脚，踩在我脚上，像是鸡踩住了一条虫。我笑他本性不改——他属鸡。

"我们也吵架哪，"我在亲友面前辩白，"别被表面现象蒙蔽了，你们不知道这家伙一旦'轴'起来有多'轴'！"

我以为自己已经足够敏感尖刻，这次终于遇到了劲敌——像两柄大刀砍在一起，叮当山响，火星四射。我是半点儿便宜都别想占到的，于是不能不哀叹：阿童木也许是命运派来改造我的使者；就好像当年的欧洲人自己背上鞭子，认为一定是因为自己有错，上帝才派蒙古铁骑来踏平家国。

有时候吵得气不过，阿童木气呼呼地收拾一个小包准备离家出走，我涕泪横流地堵在门口："你敢走！你走了就别回来！"他犹如困兽般在屋里绕个圈子，然后坐下来，铁青着脸斜睨着地面，"这儿没法待！实在受不了你！"闻听此言，我冲进卧室把他的衣服抱出来，统统扔进楼道，然后推他，"走！快走！不是受不了么？咱们俩算是完了！"他头也不回一溜烟地跑进电梯，我追出去的时候早已是仙踪渺渺。我形只影单地站在楼道里，想一想，只好再一件一件地把衣服捡回来叠好。

正在家里又悲又愤，盘算着如何对其进行制裁时，电话响起，是阿童木，听到他的声音，我的怒气像烈日下的冰块，迅速瓦解。我们争先恐后地说："对不起，我错了。"

原来各人心里的铁一般的原则都成了蜡烛做的。

我们都变得柔软了一些。

爱是风，我们成了风中的两株草，柔软谦卑。

气极时也颇怨怼，抱怨眼前的这个男人为什么不能更隐忍、更宽容、更幽默、更平和、更善解人意一些——如果他爱我。转念一想，为什么我不能更隐忍、更宽容、更幽默、更平和、更善解人意一些——如果我爱他？

女人悠久的劣根性在于被动，因为习惯被动，所以习惯要求对方。

经历过一段婚姻，总不能除了一肚子回忆什么都没悟到。

"己所不欲，勿施于人。"

"故欲取之，必先予之。"

从前也不是没听过这些响当当的道理。但道理总像是石碑上刻着的字，堂皇而隔膜，背诵得再流利，终究还是别人的；悲欢离合经历过一遭，便像亲手把石碑拓上一遍，看上面的字句一点点在自己的手下现了形，才算真的成了自己的——自己的感情，自己的生命，自己的觉悟。

生命需要错误，不肯犯错的人永远是道听途说，苍白贫血。

不久之后，我们的争吵变得很罕见——越多了解，越少误会，有时候争吵不过是因为误会。

"你是最好的！"阿童木摩挲着我的胳膊。

我笑他"敝帚自珍"。

"因为花喜欢你，鱼喜欢你，猫喜欢你，小孩子也喜欢你，世界上最敏感单纯的东西都喜欢你，所以我不能不喜欢你。"我对他说。

人永远没办法跟自己的崇拜者认真地吵架，我们互为对方的拥趸。

同朋友们吃饭。我替阿童木把钎子上的烤鸡翅剥到盘子里，然后替他倒茶，拿纸巾。

粟粟瞪大眼睛看我，"哎哟，孙二娘怎么变贤妻良母啦！"

我笑眯眯地看着阿童木，"因为他太有魅力。"

后来粟粟悄悄地对我说："如果当初你这样对猪，也许就不会离婚。"

我笑笑，想起从前教训猪的话，"心里有自然会表达，不会表达一定是心里没有。"现在听起来像是说自己。

我不会演戏。

总觉得再怎么克己复礼，演出来的"相敬如宾"也比不上热气腾腾的三个字——"我愿意"。

❻

"如果你不喜欢，我就不写。"我对阿童木说。

"为什么？"

"因为你更重要。"

"咳，傻姑娘，你得写，快写，我喜欢看你的文章。"阿童木拨着我耳边的头发。他总说是直到看完我的话剧那一刻才死心塌地地被我搞定。

于是，有了这本《裸婚》。

阿童木是第一个读者。

"把我那部分写得好些。"他说，"你把猪写得那么生动。"

"你想让我怎么写呢？"我侧头问他。

他兜到阳台上，手往外一挥，"写出一九四九的感觉呀！"

我错愕地看他。

"第一次和第二次，就像解放前和解放后，新旧两重天啊，"他摇着头，"悟性！需要悟性！"

我扑哧笑出来，"你还是给我留下写续集的空间吧！"

对于这张空头支票，阿童木颇为悻悻。

　　我不想用快乐形容自己，因为快乐总是轻的，飞扬的，像一阵风；而现在，居住在我心里的是另外一种感情，有血有肉的，不纯粹的，沉甸甸的，复杂而温暖，像一只活物。

　　有时候，我们会探究起婚姻这东西来。

　　"有那么多人没从婚姻中得到幸福。"他感叹。

　　"天长日久，审美疲劳，这是天性。"我说。

　　"大概开始是相爱，后来是容忍，再后来是习惯。"

　　"婚姻会消亡，"我说，"就像氏族公社、宗庙，像一切阶段性出现的制度一样。"

　　"我也觉得这仅仅是个形式。"他说。

　　"大家走婚好了。"

　　"这个主意不错，"他笑："什么时候开始呢？"

　　"大概在你八十岁的时候。"

　　他故意沉吟，"那时我都快走不动啦。"

　　"敢走！看我用拐棍儿敲断你的腿！"我吻他的后颈。

　　杜拉斯在《平静的生活》里有这样一段话，大意是说，经过了那么多得失起伏之后——

　　我以为我不再天真了，

　　但是，

　　夏天，有夏天的天真。

　　冬天，有冬天的天真。

后记

朋友拿着开心网上的调查题目来问我：如果有机会，是否愿意回到十年前？

我说不，不不不，当然不。小时候升学、搬家、送别、别人恋恋不舍，只有我兴奋异常，完全没有离愁别绪——挥手作别旧日的自己，带着新我的面目上路。好容易翻沟过坎地走到今天，像万里长征走完一半，再回头重新起步岂不是前功尽弃？

朋友点头。"谁没年轻过啊，可是你老过么？"她说，"但多数人选回去。"

选"回去"，大概是因为对现在的自己不满，打定主意要重新塑造一个——一个更加完美、成功、金光闪闪的模子。

朋友说：喂，你安静平和了很多。

我笑。我还诚实宽容很多呢。

我不回去，我对现在的自己很满意。

没有过去一切人和事，就没有现在的我。

我不想重新去做一张白纸——单纯不应该源于空洞无知。

果真回去，不明白的还是不明白，该摔的跟头还是要摔，而且一个都不会少。变化的大概只有跌倒和爬起来的姿势。就像《西游记》里的取经故事，一定要经历九九八十一难。

小时候读《西游记》，只是为了看孙悟空打妖精。后来才明白它是成人寓言：生命是场漫长艰辛的修行，但即便如唐僧般软弱，也可以到达终点。

另一个"回去"的理由，大概是以为可以重新选择。

但你以为你所遇到的一切都是偶然么？恰恰相反。

看上只要时空倒转，回到当年的三岔口，你就可以走上另一条路，选择曾经被你放弃的方向。

其实无论怎么走，我们只有一种选择——那就是没有选择。

人生是套多米诺骨牌，我们伸手就会碰倒注定的那一枚，之后便有无数枚不停地倒下去，方向和过程，都不由我们控制。

重新选择，无非是变换经历；而任何经历也不过都是些台阶。我们踩着它，一级一级走向从未想像过的高度，当时曾经纠缠痛惜的一切，都渐渐远了，淡了，成为回忆与笑谈。死亡是我们的巅峰，站在这里可以清晰地回望整条来路，曲折而清晰；此时大概会恍然大悟，慷慨地挥别已经了解了的生命。

殊途同归。

有人问我，如果有机会重新来过，你还会不会选择当初那个人？会不会和他结婚？会不会更好地维持婚姻？会不会生个孩子？会不会不离婚？会不会？会不会……

所有以"如果"开头的问题，都是蠢问题。

我们都曾经做过蠢人，但千万不要做一辈子。

没有第一段婚姻，也许就没有我的第二段婚姻。

没有失，当然不会得。

重要的不是抓住，而是了解与领悟——事事如此。

人与人之间的关系不过是个"渡"字，渡人渡己，没有例外。能否渡河，全在一念之间。

为此我感谢过去的所有人，爱过的恨过的伤害过的。

为此我感谢过去的所有事，哭过的笑过的难堪过的。

卡夫卡说生命像走钢丝。

我不喜欢这个比喻，太艰险太紧张。

我喜欢中国古人的说法，生命像一泓流水，万流朝宗；生命像一片树叶，叶落归根。总之，轻盈自在，随遇而安，没有目的；自然，就是唯一法则。

从前话多，后来明白说话不过是因为无知——"无法了解，不能知道"的意思；越无知，话越多。

现在的我较为沉默，写这本书，不过是为了把自己学到的东西与大家分享，就像出借学习笔记。

《西游记》里，唐僧师徒一行四人，历尽千辛万苦到了西天，看管经书的罗汉将最上等的经书传给他们。行者机灵，走到半路，打开看了一看，发觉那真经竟都是些无字的白纸。于是打将回去，找如来理论。如来对传经的菩萨说：凡人的见识，不足以理解这无字的真经，你还是把次一等的经书传给他们吧，那是有字的。

照此推论，我啰啰唆唆地说了这么一本书，堪称是不入流，能力有限；好在无声无息、不扰民，不想听时合上书本即可，请读者宽容，去粗取精，去伪存真。

希望有一天，我可以像一棵植物，用沉默的存在表达自己，而不是用语言。

图书在版编目（CIP）数据

裸婚 / 介末著 .—长春: 北方妇女儿童出版社，2009.11
ISBN 978-7-5385-4214-1

I. 裸… II . 介… III . 长篇小说—中国—当代 IV . I247.5

中国版本图书馆 CIP 数据核字（2009）第 212439 号

裸　婚

特约策划	辛海峰
作　者	介　末
责任编辑	王天明　熊晓君
特约编辑	邬四娟
装帧设计	**IVYMARK**TYPOdesign
出版发行	北方妇女儿童出版社
地　址	长春市人民大街 4646 号（130021）
印　刷	三河市汇鑫印务有限公司
开　本	880×1230　1/32
印　张	8.25
字　数	230 千字
版　次	2010 年 1 月第 1 版
印　次	2010 年 1 月第 1 次印刷
书　号	ISBN 978-7-5385-4214-1
定　价	24.80 元